LA JOYA DEL JEQUE

SHARON KENDRICK

Editado por Harlequin Ibérica.
Una división de HarperCollins Ibérica, S.A.
Núñez de Balboa, 56
28001 Madrid

La joya del jeque, n.º 2607 - 7.3.18
Título original: The Sheikh's Bought Wife
Publicada originalmente por Mills & Boon®, Ltd., Londres.

I.S.B.N.: 978-84-9170-591-8
Depósito legal: M-906-2018
Impresión en CPI (Barcelona)
Fecha impresion para Argentina: 3.9.18
Distribuidor exclusivo para España: LOGISTA
Distribuidor para México: Distibuidora Intermex, S.A. de C.V.
Distribuidores para Argentina: Interior, DGP, S.A. Alvarado 2118.
Cap. Fed./Buenos Aires y Gran Buenos Aires, VACCARO HNOS.

Prólogo

MUY BIEN, ¿y cuál es la trampa?

Zayed detectó cierta inquietud en sus consejeros cuando hizo esa pregunta. Estaban nerviosos, era evidente. Más nerviosos de lo habitual en presencia de un jeque tan poderoso e influyente como él. Aunque eso le daba igual. Al contrario, lo encontraba muy práctico. La deferencia y el miedo mantenían a todos a distancia y eso era lo que esperaba de ellos.

De espaldas a la ventana, frente a los magníficos jardines de su palacio, estudió a los hombres que estaban frente a él. La inocente expresión en el rostro de su ayudante, Hassan, no lo engañaba ni por un momento.

–¿Trampa, Majestad? –le preguntó.

–Sí, trampa –repitió él, con tono impaciente–. Mi abuelo materno ha muerto y acabo de descubrir que me ha dejado en su testamento las tierras más valiosas de toda la región. Heredar Dahabi Makaan era algo que jamás hubiera soñado –Zayed frunció el ceño–. Y por eso me pregunto qué provocó tan inesperada generosidad.

Hassan hizo una ligera reverencia.

–Era usted uno de sus pocos parientes vivos y, por lo tanto, es natural que le haya dejado esa herencia.

–Mi abuelo no me había dirigido la palabra desde que era un niño de siete años.

–Pero su visita, cuando estaba en su lecho de muerte, debió de emocionarlo. Era una visita que seguramente no había anticipado –insistió Hassan diplomáticamente–. Tal vez esa sea la razón.

Zayed apretó los labios. Tal vez, pero la visita no había sido inspirada por amor, ya que el amor había desaparecido de su corazón mucho tiempo atrás. Había ido porque era su deber y él jamás se apartaba de sus deberes. Había ido a pesar del dolor que le causaba hacerlo. Y sí, había sido extraño ver el rostro devastado por el tiempo del viejo rey, que había desheredado a su única hija cuando se casó con el padre de Zayed. Pero la muerte nos hacía iguales, pensó amargamente cuando apretó su mano con sus retorcidos dedos. Era el monstruo del que nadie podía escapar. Había hecho las paces con su abuelo moribundo porque sospechaba que eso le hubiera gustado a su madre, no porque buscase una recompensa económica.

–Nadie da nada por nada en este mundo, pero tal vez esta sea la excepción –los ojos de Zayed se clavaron en sus consejeros–. ¿Me estáis diciendo que esas tierras serán mías, sin condiciones?

Hassan vaciló por un momento.

–No del todo –dijo por fin.

Zayed asintió con la cabeza. Su instinto no le había fallado.

–De modo que hay una trampa –dijo con tono de triunfo.

–Sospecho que usted lo verá como tal, señor, porque para heredar Dahabi Makaan tiene que... –el hombre se pasó la lengua por los labios en un gesto de nerviosismo– contraer matrimonio.

–¿Contraer matrimonio? –repitió Zayed, con un tono tan amenazador que los consejeros se miraron unos a otros con ansiedad.

–Sí, señor.

–Todos sabéis lo que pienso del matrimonio.

–Desde luego, señor.

–Pero para que no haya malentendidos, lo repetiré: no tengo el menor deseo de casarme en muchos años. ¿Por qué atarme a una mujer cuando puedo disfrutar de veinte?

Zayed esbozó una sonrisa al recordar cómo lo recibía su amante de Nueva York. Tumbada sobre las sábanas de satén, con un ajustado body negro, los sedosos muslos abiertos en un gesto de bienvenida...

Tuvo que aclararse la garganta, intentando contener la inevitable reacción de su cuerpo.

–Acepto que algún día tendré que casarme para darle un heredero al reino, pero solo entonces tomaré una esposa... una virgen pura de Kafalah. Un momento que tardará décadas en llegar porque un hombre puede procrear hasta los setenta años, incluso a los ochenta. Y como en nuestros días las mujeres disfrutan de un amante experto, será un acuerdo satisfactorio para todos.

Hassan asintió de nuevo.

–Entiendo su razonamiento, señor, y en otras circunstancias estaría de acuerdo. Pero esas tierras son fundamentales para Kafalah porque son ricas en petróleo y tienen una enorme importancia estratégica. Piense cuánto beneficiaría a nuestro pueblo si fueran suyas.

Zayed hizo un gesto de indignación. ¿No estaba

todo el día pensando en su gente y haciendo lo que era mejor para ellos? ¿No era famoso por la dedicación a su pueblo y su determinación de mantener la paz? Y, sin embargo, las palabras de Hassan eran ciertas. Dahabi Makaan sería sin duda la joya de la corona. ¿De verdad podía darle la espalda a tal propuesta? Recordaba a su abuelo moribundo rogándole que no tardase mucho en tener un heredero...

Cuando él le recordó que no tenía intención de casarse por el momento, el rostro del anciano se había oscurecido. ¿Habría decidido el viejo rey que la única forma de conseguir lo que quería era forzarlo al matrimonio poniéndolo como condición en su testamento?

Pero el matrimonio lo horrorizaba. No quería saber nada de sus insidiosos tentáculos, que podían atar a un hombre de tantos modos. Lo odiaba por razones que no tenían que ver con una libido que exigía variedad. Odiaba la institución del matrimonio, con todos sus defectos y sus falsas promesas, y la idea de casarse para heredar era algo que le repugnaba.

A menos que...

Zayed empezó a darle vueltas a una idea. Porque solo un tonto rechazaría la oportunidad de gobernar una región rica en petróleo, situada en una estratégica posición entre cuatro reinos del desierto.

–Tal vez haya una forma de cumplir con esa condición sin atarme al tedio y los inconvenientes de un matrimonio.

–¿Conoce la forma, señor? –inquirió Hassan–. Por favor, díganosla.

–Si el matrimonio no fuera consumado sería legal y, como tal, podría ser disuelto. ¿No es así?

–Pero señor...

–Nada de peros –lo interrumpió Zayed, impaciente–. Me gusta la idea cada vez más –añadió, aunque podía ver la duda en el rostro de sus consejeros y entendía por qué. Él era un hombre conocido por su virilidad que necesitaba el alivio del sexo como otros necesitaban ejercicio. Por tanto, la idea de que pudiese tolerar un matrimonio sin sexo era risible. Sí, habría obstáculos a una unión casta, pero él era un hombre acostumbrado a superar obstáculos y mientras miraba el rostro serio de Hassan se le ocurrió una idea brillante.

–¿Y si eligiese una mujer que no me tentase en absoluto? Una mujer fea y poco femenina. Una mujer que mirase para otro lado cuando yo saliese a divertirme. Esa podría ser una solución.

–¿Conoce a tal mujer, señor?

Zayed apretó los labios. Sí conocía a tal mujer. Jane Smith, con su moño apretado y esa ropa gris que escondía su figura, sería perfecta. Sí, desde luego. La seria y aburrida académica que estaba a cargo de los archivos de la embajada en Londres no solo era feúcha sino también inmune a sus encantos. Ni siquiera le caía bien, algo que había notado con incredulidad. Al principio pensó que era una forma de flirtear, que fingía indiferencia para despertar su interés. Como si él pudiera estar interesado en una mujer como ella. Pero había descubierto que el desagrado era auténtico cuando oyó a alguien mencionar su nombre y la vio poner los ojos en blanco. Qué insolente.

Pero Jane amaba Kafalah con una pasión que era rara en un extranjero y conocía el país mejor que muchos nativos, por eso no la había despedido. Adoraba el desierto, los palacios y su rica y a veces sangrienta historia. El corazón de Zayed se encogió por un momento.

Era un dolor que nunca había curado, por mucho que intentase olvidar. ¿Aceptar la condición de su abuelo y heredar Dahabi Makaan aliviaría su pena? ¿Podría así olvidar el pasado y mirar hacia delante, hacia el futuro?

–Prepara el jet, Hassan –le ordenó–. Iré a Inglaterra para tomar a la desdichada Jane Smith como esposa.

Capítulo 1

EL DÍA había empezado fatal para Jane y estaba empeorando. Primero, una llamada de teléfono, una siniestra y turbadora llamada que la había dejado horrorizada. Luego el tren había sufrido una avería y cuando llegó a la embajada de Kafalah fue recibida con expresiones de pánico.

Y la noticia que la esperaba hizo que se le encogiera el corazón: el jeque Zayed az-Zawba había decidido hacer una visita inesperada y llegaría en un par de horas.

Zayed era un hombre orgulloso y exigente, y el embajador no dejaba de dar nerviosas instrucciones mientras las secretarias sonreían, esperando ansiosamente la llegada del rey del desierto. El jeque era conocido por su arrogante y formidable atractivo, que atraía a las mujeres como polillas a la luz, pero cuando se enteró de su llegada Jane cerró su despacho de un portazo porque a ella no le parecía irresistible. Le daba igual que fuese un genio en los negocios o que estuviera construyendo escuelas y hospitales en su país.

Lo odiaba.

Odiaba sus ojos negros, que brillaban como si estuviera en posesión de algún secreto. Odiaba cómo reaccionaban las mujeres ante él, babeando como si fuera un dios. Un dios del sexo, había oído decir.

Jane tragó saliva. Porque eso era lo que más odiaba; no ser inmune al innegable atractivo del jeque, aunque representaba todo lo que ella detestaba, con sus legiones de amantes y su desprecio por los sentimientos del sexo opuesto. Sí, sabía que había tenido una infancia terrible, pero eso no le daba carta blanca para portarse como le daba la gana. ¿Durante cuánto tiempo se podía perdonar a alguien por su pasado?

Colgó la chaqueta en el armario, metió el faldón de la blusa en la falda y se sentó frente a su escritorio. Al menos en su despacho, en el sótano de la embajada, estaba lejos de la emoción del piso de arriba y de los preparativos para la llegada del jeque. Con un poco de suerte, podría seguir escondida y no verlo siquiera.

Cuando encendió su ordenador y en la pantalla apareció el famoso palacio de Kafalah Jane no estaba mirándolo. Por una vez, no se fijó en las hermosas torres azules porque en lo único que podía pensar era en la llamada de teléfono que había recibido a primera hora de la mañana y en el tono amenazador del extraño. No era la primera vez que llamaba, pero su tono se había vuelto hostil y aquella mañana había ido directo al grano.

–Tu hermana debe mucho dinero y alguien tiene que pagarlo. ¿Ese alguien vas a ser tú, cariño? Porque estoy impacientándome.

Le daban ganas de apoyar la cabeza en el escritorio y ponerse a llorar, pero ella no se permitía el lujo de derramar lágrimas. Llorar era una pérdida de tiempo porque ella era Jane, la que podía con todo. Jane, a quien todos pedían ayuda cuando tenían problemas.

Suspirando, llamó a su hermana, pero saltó el buzón de voz.

–Hola, soy Cleo. Si dejas un mensaje puede que te llame. Claro que tal vez no lo haga.

Jane tomó aire e intentó calmarse, aunque le resultaba difícil respirar.

–Tengo que hablar contigo lo antes posible. Por favor, llámame en cuanto escuches este mensaje.

No tenía muchas esperanzas de que le devolviese la llamada. Cleo hacía lo que quería y últimamente eso no parecía tener barreras. Compartían el mismo cumpleaños, pero eso era lo único que tenían en común como mellizas. A Jane le gustaba la seguridad y el estímulo de los libros mientras que a Cleo le gustaba bailar durante toda la noche. Jane vestía de forma cómoda, Cleo para destacar. Cleo era guapísima, y ella no lo era.

Su hermana no podía financiar su estilo de vida con el poco dinero que ganaba. ¿Por qué si no la llamaría aquel extraño hablándole de una deuda? ¿Y cómo había conseguido su número de teléfono? Decidió volver a llamarla después del trabajo. Incluso iría a verla para convencerla de que hablase con aquel hombre y solucionase el problema.

Intentó olvidarse de los problemas de su hermana y se concentró en el trabajo. Esa era una de las cosas que más le gustaban del mundo académico, especializado en el reino de Kafalah. Podía olvidarse de todo y viajar mentalmente a una tierra rica en cultura e historia. Podía perderse en el pasado. ¿Qué mejor manera de pasar el día que catalogando libros y organizando exposiciones de las fabulosas obras de arte de ese país? Era mucho más satisfactorio que el mundo moderno, con el que ella no parecía tener ninguna conexión.

Estaba tan concentrada en la traducción de un antiguo poema amoroso, pugnando por encontrar la palabra apropiada para un acto decididamente erótico, que no se molestó en levantar la cabeza cuando alguien abrió la puerta del despacho.

–Ahora no –dijo–. Vuelve más tarde.

Hubo un momento de total silencio y después escuchó una aterciopelada voz masculina:

–En mi país no se toleraría tal respuesta ante la llegada de un jeque. ¿Te consideras tan especial que puedes rechazarme, Jane Smith?

Jane levantó la mirada, horrorizada al ver a Zayed az-Zawba cerrando la puerta de su despacho, encerrándolos a los dos en el pequeño espacio.

Sabía que debería levantarse e inclinar la cabeza porque, aunque ella no era uno de sus súbditos, la condición real de Zayed az-Zawba exigía ciertas deferencias. Pero ella estaba en contra de ese tipo de ceremonias y, además, su repentina aparición había sido una sorpresa.

El poderoso cuerpo masculino dominaba cada átomo de espacio en el despacho y lo maldijo en silencio por su atractivo y por cómo la hacía sentir. Como si estuviera agarrándose al borde de un acantilado con la punta de los dedos. Llevaba una túnica, por supuesto. Algunos jeques se vestían con traje de chaqueta cuando iban a Europa, normalmente hechos en Italia, pero a Zayed le gustaba llamar la atención y lo conseguía sin hacer ningún esfuerzo. La túnica de seda en color crema insinuaba el cuerpo fuerte y masculino que había debajo y su único compromiso con el mundo occidental era llevar la cabeza descubierta.

Con desgana, Jane miró su rostro. Su cruel y hermoso rostro. Había estudiado generaciones de hombres de la familia Az-Zawba y conocía sus distintivas facciones por los cuadros e ilustraciones del país. Los brillantes ojos negros, la piel como el cobre pulido y la nariz larga y masculina eran rasgos familiares para ella, pero nada podría haberla preparado para tenerlo tan cerca, mirándola fijamente. Y cada vez que lo veía el impacto era mayor. Tal vez no era una sorpresa porque era un hombre magnífico y sería una tonta si intentase negarlo.

Pero no le gustaba cómo la hacía sentir y no le gustaba él. Era muy desagradable que sus pechos se hinchasen con una sola mirada y lo único que podía hacer era rezar para que él no se diera cuenta. Solo tenía que mostrar calma, como hacía con cualquier otra persona, y preguntar amablemente si necesitaba algo. Y luego, con un poco de suerte, despedirse de él lo antes posible.

Se levantó torpemente, notando el brillo de los ojos negros clavados en ella mientras hacía una breve inclinación de cabeza.

–Perdone, Alteza. No esperaba que entrase en mi despacho sin avisar.

Zayed enarcó una ceja. ¿Había censura en su tono?

–¿Tal vez debería haber pedido cita? –preguntó, sarcástico–. ¿Debería haber preguntado si había un hueco en tu ajetreada agenda?

Jane intentó sonreír mientras señalaba alrededor.

–No, pero de haber sabido que Su Alteza iba a honrarme con su presencia podría haber ordenado un poco mi despacho.

Estuvo a punto de añadir que también podría haberse arreglado un poco ella misma, pero se mordió la lengua.

–El estado de tu despacho no tiene ninguna importancia –dijo él, impaciente–. Es a ti a quien he venido a ver.

–¿A mí?

Jane Smith lo miraba con una expresión interrogante que parecía casi insubordinada. Él no estaba acostumbrado a que las mujeres lo mirasen así, como si prefiriesen estar en cualquier otro sitio. Él estaba acostumbrado a la adoración y la sumisión, y de mujeres mucho más bellas que Jane Smith. Había pensado entrar en su despacho y decirle directamente que necesitaba una esposa, pero su expresión sutilmente hostil hizo que reconsiderase tal decisión porque, de repente, se le ocurrió algo impensable.

¿Y si ella se negaba?

No aceptaría una negativa, pero tal vez tendría que emplear la diplomacia. ¿Y no era irónico tener que esforzarse para pedirle un favor a una mujer como ella?

Zayed esbozó una sonrisa al notar que no llevaba una gota de maquillaje y que su pelo castaño estaba sujeto en un apretado moño, como si fuera una mujer de sesenta años. Llevaba una fea blusa, una falda igualmente fea por debajo de las rodillas y, como siempre, era imposible intuir la forma de su cuerpo bajo el soso atuendo.

Sin duda, era la mujer menos atractiva que conocía y, por lo tanto, la candidata perfecta para lo que tenía en mente. ¿Podría alguna vez sentirse atraído por una mujer como Jane Smith? No, nunca, ni en un millón de años.

–Tengo que hacerte una proposición –dijo por fin.

Ella arrugó la frente.

–¿Qué clase de proposición?

Zayed apenas podía disimular su enfado. Qué insolente. ¿No se daba cuenta de lo poderoso que era? ¿Por qué no asentía inmediatamente, mostrándose dispuesta a hacer lo que tuviese que hacer para complacerlo?

De repente, se le ocurrió que aquel pequeño despacho, con nerviosos empleados de la embajada al otro lado de la puerta, esperando sus órdenes o quizá escuchando la conversación, no era el sitio adecuado para hacerle esa proposición.

Zayed esbozó una sonrisa, sabiendo que ejercía un poderoso impacto en los miembros del sexo opuesto.

–Creo que será más fácil explicártelo durante la cena.

–¿Cena?

–Ya sabes, la comida que hay ente el almuerzo y el desayuno –dijo él, impaciente.

–¿Quiere cenar conmigo?

No sería inteligente decirle que en realidad no quería cenar con ella, que esa cena sería una tortura que tendría que soportar mientras le contaba sus planes. ¿Por qué estropear la que, sin duda, iba a ser una noche especial para ella? ¿Por qué no cortejarla como a las mujeres les gustaba ser cortejadas?

–Sí –respondió–. Así es.

–No lo entiendo.

–Ya lo entenderás, Jane. Te lo explicaré todo durante la cena –Zayed miró el reloj de oro que una vez había sido de su padre–. Será mejor que te vayas ahora mismo.

–¿Ahora mismo? ¿Quiere que deje mi puesto de trabajo?

–Por supuesto.

–Pero si acabo de llegar... y estoy traduciendo un poema amoroso del siglo XVI que acabamos de descubrir. De hecho, uno de sus antepasados lo escribió para la favorita del harem.

Zayed empezaba a enfadarse de verdad. ¿No entendía que estaba honrándola con esa invitación? ¿Creía que invitaba a cenar a mujeres como ella todos los días y que iba a tolerar que lo rechazase para leer un poema?

–Vas a cenar con el gobernante del país para el que trabajas, no vamos a tomar un bocadillo en algún café –le espetó–. Y, sin duda, querrás arreglarte. Porque cenar conmigo no solo es un honor para cualquier miembro de la embajada, también se supone que es algo agradable. Imagino que no cenas en el mejor restaurante de Londres todos los días.

–No, no soy ese tipo de persona –dijo ella.

–No, ya me doy cuenta –murmuró Zayed, pensando que su reacción hubiera sido divertida si no fuera tan insultante. Pero pronto aprendería a ser agradecida–. Enviaré un coche a buscarte a las ocho. Espero que estés preparada.

Ella abrió la boca como para decir algo, pero debió de pensarlo mejor porque al final asintió, casi como si le hubieran impuesto un castigo. De hecho, estaba seguro de que había contenido un suspiro de resignación.

–Muy bien, Alteza –dijo por fin, como haciéndole un favor–. Estaré lista a las ocho.

Capítulo 2

CON EL móvil pegado a la oreja, Jane paseaba de un lado a otro por el pequeño salón mientras esperaba que su hermana respondiese. Llevaba todo el día intentando en vano hablar con ella, desde que se vio obligada a dejar su trabajo para «arreglarse» por orden de Zayed az-Zawba. Iban a cenar juntos y seguía sin saber por qué, ya que el jeque no había intentado disimular que encontraba su compañía tan poco atractiva como ella la suya.

Pero la cena con Zayed le preocupaba menos que las dos llamadas del hombre con voz amenazadora a las que no se había atrevido a responder. De repente, su mundo seguro y contenido parecía haber perdido el control.

–¿Jane? –escuchó la voz de su hermana por fin–. ¿Eres tú?

–¿Quién iba a ser? Te estoy llamando desde mi móvil –respondió ella, dejando escapar un suspiro de alivio–. ¿Qué pasa? ¿Por qué estoy recibiendo llamadas amenazadoras de un hombre que dice que le debes dinero?

Al otro lado hubo una pausa turbadoramente larga. Incluso pensó que había cortado la comunicación hasta que la oyó decir:

–Ay, Jane.

Algo en su tono la hizo sentir un escalofrío de aprensión.

–¿Vas a contarme lo que pasa?

Cleo empezó a hablar, al principio con tono vacilante, pero luego de carrerilla, al borde de las lágrimas. Y Jane sintió que ella misma podría haber escrito ese guion porque todo era tan previsible. Su loca e idealista hermana, cuyos sueños habían sido siempre demasiado grandes, había decidido hacerlos realidad. Obsesionada por las vidas de los ricos y famosos, sus excesivos gastos habían terminado en un montón de deudas que parecían montañas en ese momento.

–¿No puedes hablar con el director del banco? Tal vez podrías pagar la deuda a plazos.

–Si hubiera pedido un préstamo al banco no sería un problema tan grave, pero no es el banco... se lo pedí a un hombre al que conocí en el pub. Y resulta que es un usurero.

–Ay, Cleo. ¿Por qué?

Al otro lado una pausa.

–Porque estaba dispuesto a prestármelo. Yo no soy como tú, Jane. No pienso las cosas dos veces, no me paso el día enterrada en polvorientos libros y no me conformo con comprar en las rebajas, viendo la vida pasar. Así que yo... –su hermana hizo una pausa– decidí que quería ver el mundo. Fui a un crucero y me compré un vestuario a juego y...

–Y te hiciste pasar por alguien que no eres –terminó Jane la frase por ella. Aquel era un patrón familiar desde la infancia. La preciosa Cleo, que quería ser modelo, pero no era lo bastante alta ni lo bastante delgada. Cleo, la favorita de su madre, tan desolada tras su muerte que todo el mundo la arropó. Tal vez se habían pasado, tuvo que admitir Jane. Le habían permitido demasiado, la habían ayudado demasiadas veces.

Habían aceptado que dejase los estudios, como esperando que su vida se solucionase por arte de magia. Todo había empeorado tras la muerte de su padre, cuando Jane tuvo que hacerse responsable de ella. Pero esa era la historia de su vida, ¿no? Todo el mundo se apoyaba en Jane, la buena de Jane.

Cerrando los ojos, apretó el móvil contra su oreja.

–¿Cuánto dinero debes, Cleo? Y no me mientas. ¿Cuánto dinero exactamente?

La suma que mencionó su hermana hizo que se marease.

–No puede ser –dijo con voz ronca.

–Ojalá no fuera así. Ay, Jane, ¿qué voy a hacer?

Todo era tan familiar. ¿Y qué podía hacer ella más que responder a esa súplica, como había respondido tantas otras veces?

–Vas a tener que esperar. Te llamaré cuando encuentre una solución.

–Pero tú no tienes ese dinero.

–No, claro que no –Jane tragó saliva pensando en los ojos negros del jeque y en su burlona sonrisa–. Pero conozco a alguien que sí lo tiene.

Unos minutos después cortó la comunicación.

¿Se atrevería a pedirle un préstamo para ayudar a su hermana? Un préstamo que pagaría durante los próximos años. Estaba tan perdida en sus pensamientos que no se dio cuenta de lo tarde que era hasta que miró el reloj. ¡El coche de Zayed llegaría a buscarla en menos de una hora!

Estaba tan preocupada por su hermana que apenas había tenido tiempo para preguntarse por qué Zayed insistía tanto en verla a solas. Sin duda pronto iba a enterarse, claro. Después de ducharse miró el contenido de su armario haciendo una mueca. Pero la ropa nunca había sido importante para ella y, además, dudaba que el famoso seductor notase qué llevaba puesto, de modo que se puso un jersey, una falda de tweed y medias gruesas porque la tarde otoñal era fresca.

Poco después sonó el timbre y Jane se percató de la cara de sorpresa del conductor cuando abrió la puerta, aunque intentó disimular con una amable sonrisa cuando ella lo saludó en su idioma. La limusina aparcada frente a la casita, que Jane compartía con una compañera de universidad, parecía totalmente fuera de lugar en aquel modesto barrio. Por suerte, su amiga estaba trabajando fuera del país y no tendría que explicarle qué hacía allí aquel lujoso coche negro con la bandera de Kafalah ondeando en la antena.

Ella nunca había viajado en los coches oficiales y se sintió rara cuando el conductor le abrió la puerta. En el interior había una pequeña nevera, copas de cristal y una televisión más grande que la de su apartamento. Jane miró por la ventanilla mientras el cielo iba oscureciéndose, preguntándose qué iba a hacer con la deuda de Cleo. Tal vez se atrevería a pedirle un aumento de sueldo a Zayed, pensó, mordiéndose los labios. Tendría que ser un aumento enorme y tendría que recibirlo inmediatamente.

–Ya hemos llegado, señorita.

La voz del conductor interrumpió sus pensamientos

y Jane parpadeó, sorprendida. No se dio cuenta de que habían llegado a su destino hasta que un portero uniformado abrió la puerta del coche frente a un famoso y exclusivo restaurante en la plaza Leicester, un sitio solo para socios.

Era un lugar suntuoso y elegante, con las paredes forradas de madera y más cuadros de los que uno podía encontrar en un museo. Mientras seguía al portero, varias mujeres de cierta edad, cargadas de joyas, la miraron con curiosidad, como si no tuviera derecho a estar allí.

En realidad se sentía fuera de lugar en aquel sitio porque incluso ella, que no tenía experiencia en ese tipo de eventos, se daba cuenta de que no iba vestida para la ocasión. La falda de tweed era adecuada, pero tenía un aspecto ridículamente humilde en aquel sitio. El hombre empujó una puerta y allí estaba Zayed, de pie frente a una chimenea de mármol labrado. Llevaba una túnica dorada que hacía resaltar el brillo de su piel y su pelo negro. Jane sintió el latido de algo cálido en el vientre cuando sus ojos se encontraron, pero Zayed la miró de arriba abajo sin disimular una sonrisa desdeñosa.

–¿Es una broma? –le espetó.

Jane no sabía de qué estaba hablando.

–¿Una broma, Alteza? ¿A qué se refiere?

–¿Me lo preguntas en serio?

Su tono era altivo y condescendiente al mismo tiempo. Nunca lo había visto así y Jane recordó entonces por qué era conocido como «Zayed, el Majestuoso» en su país.

–Sí, en serio.

–Has tenido todo el día libre para arreglarte y, sin embargo, apareces vestida como un ama de casa.

Jane sintió que se ponía colorada, pero mantuvo la mirada firme.

–Yo no tengo ropa de marca ni joyas.

–Pero sí tienes un cepillo para el pelo, ¿no? Y un bonito vestido. Y creo que no sería mucho pedir que te hubieras puesto un poco de brillo en los labios o máscara de pestañas para que fuese agradable mirarte.

–No me interesa que usted me mire y me da igual si le resulto agradable o no –replicó ella, sin pensar. Pero debería haberse mordido la lengua porque, al fin y al cabo, estaba pensando pedirle un favor. Contuvo el aliento y esbozó una sonrisa tan forzada como los primeros adornos navideños, que habían empezado a aparecer en los escaparates a principios de septiembre.

–Lo siento. No quería ser grosera.

–¿Ah, no? Pues quién lo diría.

Zayed parecía estar haciendo un esfuerzo para no perder la paciencia y Jane se preguntó por qué, ya que no era un hombre famoso por su ecuanimidad.

–¿Por qué no te relajas e intentas disfrutar? Voy a pedir que nos traigan champán.

Jane estuvo a punto de decirle que ella no bebía champán. Ella no era Cleo, pero tomó la copa que le ofrecía un camarero, que había aparecido como por arte de magia.

–Ya he pedido la cena para los dos –siguió Zayed–. No quiero perder más tiempo del necesario.

–¿No debería haberme preguntado antes por si tengo alguna alergia? –le espetó Jane, irritada por tanta arrogancia–. Además, no como carne.

–Vaya, qué coincidencia. Yo tampoco –respondió él, dejándose caer sobre una silla que pareció encoger bajo su poderoso cuerpo–. Al menos tenemos algo en común. Siéntate, Jane.

Cuando ella lo hizo, Zayed se echó hacia delante para estudiarla de cerca, incrédulo al ver su aspecto apagado. Pensó en su amante de Nueva York y en lo que se habría puesto si la hubiera invitado a cenar, con sus cremosos pechos escapando de uno de esos vestidos tan ajustados que parecían vendas, sus largas piernas envueltas en medias de seda y unos tacones tan altos que deberían llevar un cartel de advertencia.

Pero, a pesar de la falta de maquillaje, el moño apretado y su horrible sentido de la moda, había un brillo de inteligencia en los ojos de Jane Smith. Tenía un aire de complejidad, como si tuviese una personalidad complicada e interesante...

Zayed sacudió la cabeza, pensando que sus peculiaridades no tenían la menor importancia. Jane Smith era un medio para alcanzar un fin y nada más.

Le hizo un gesto al camarero y, unos segundos después, les sirvieron el primer plato. Nada de aperitivos. ¿Para qué alargar aquella cena más de lo necesario cuando lo único que necesitaba era que Jane aceptase su plan?

Esperó que ella dijese algo agradable, tal vez que preguntase tímidamente por qué la había invitado a cenar, pero Jane no parecía estar prestándole la menor atención. Y tampoco a la cena, porque apenas la probó. No dejaba de mirar por encima de su hombro hasta que tuvo que girarse para descubrir que estaba mirando un cuadro a su espalda, no a él.

–¿No es el desierto de Kafalah?

–Desde luego que sí.

–Me había parecido reconocerlo. Y la ciudad a lo lejos es Tirabah, ¿no? Casi puedo ver las tres torres azules.

Zayed se debatía entre la admiración por el evidente afecto que sentía por su país y la irritación porque estaba ignorándolo por completo. Y él no estaba acostumbrado a ser ignorado. Probó el arroz con especias, pistachos y granadas, uno de sus platos favoritos, que preparaban especialmente para él cada vez que iba allí, antes de dejar el tenedor. Tampoco ella estaba comiendo, pero eso no lo sorprendió. Las mujeres a menudo se quedaban tan impresionadas en su presencia que no eran capaces de probar bocado.

–Háblame de ti, Jane Smith –le dijo.

Jane dejó el tenedor sobre su plato y levantó la mirada. Todo olía de maravilla, pero estaba tan angustiada por el problema de su hermana que había perdido el apetito.

–¿Por qué quiere saber algo de mí? –le preguntó, recelosa.

–Porque sí –respondió él.

Jane frunció los labios.

–¿No está contento con mi trabajo?

–No es eso, pero estoy empezando a impacientarme por tu incapacidad de responder directamente a una simple pregunta.

Jane lo miraba intentando no quedar hipnotizada por el ébano de sus ojos, aunque eso era imposible. Se preguntó cómo podía exasperarla de tal modo y, al mismo tiempo, hacer que su corazón latiese como un pistón cada vez que lo miraba.

–¿Qué quiere saber?

–¿Cómo conseguiste el puesto en la embajada y por qué tienes tantos conocimientos sobre mi país?

Desdeñando la copa de champán, Jane tomó un sorbo de agua, sin saber por dónde empezar. ¿Debía contarle que había sido una niña seria y callada, que solía enterrarse en los libros? ¿Que se parecía más a su erudito padre que a su madre esteticista?

No. Zayed az-Zawba no estaba interesado en nada de eso. Quería conocer sus méritos y si estaba pensando pedirle un aumento de sueldo, o un préstamo, ¿no sería mejor ser sincera por una vez, en lugar de quitar importancia a sus logros por miedo a que pensara que estaba presumiendo?

–Me gradué en la Universidad de Estudios Orientales de Londres y fue allí donde conocí a algunos de los grandes poetas de Kafalah. Me obsesioné con uno en particular y fue él quien me inspiró para aprender el idioma y poder traducir sus versos –Jane sonrió para sus adentros al pensar en el impacto que esos poemas habían hecho en ella, lo poderosos que podían ser–. Usted, por supuesto, conocerá la obra de Mansur Beyhajhi.

–Yo no tengo interés en la poesía –respondió él, cortante–. Esa era la afición de mi padre.

Jane intentó disimular su decepción, aunque no estaba segura de haberlo conseguido. No debería sorprenderle que desdeñase al poeta más importante del país. Zayed no tenía fama de ser un hombre sensible. Era conocido por sus coches rápidos, sus jets privados y sus innumerables conquistas.

Y sí, todo el mundo sabía que era un genio de los

negocios que había acrecentado las arcas de un país ya rico en reservas de petróleo, pero era una pena que Kafalah tuviese un gobernante tan bárbaro. ¿La temprana muerte de sus padres habría contribuido a esa insensibilidad o era la responsabilidad de gobernar un país desde que era un niño?

«Intenta no juzgarlo tan duramente», se dijo.

–No, claro que no. Había olvidado que usted es un hombre de acción más que un hombre de letras.

Zayed la miró con perplejidad.

–Hablas de mí como si fuera un ignorante. ¿Cuál es tu intención?

–Pensé que quería hablar de mí, Alteza, no de usted.

–Veo que, de nuevo, evitas responder a mis preguntas.

«No lo hagas enfadar», pensó Jane.

–La obligación de un jeque es trabajar por su país. No es necesario que se interese por la poesía.

Él asintió con la cabeza, como tranquilizado por esa respuesta.

–Háblame de ti.

–Pues... escribí un ensayo sobre Beyhajhi que provocó cierta conmoción en el mundo académico y me llamaron de la embajada. El embajador me entrevistó y me ofreció un puesto ese mismo día para catalogar, traducir y preservar los hermosos manuscritos que su padre había ido coleccionando y rescatando por todo el país –respondió Jane, recordando lo que había sentido ese día, como si todo hubiera caído en su sitio, como si por primera vez estuviera donde debía estar–. Era el trabajo de mis sueños –admitió con una sonrisa–. Así que, por supuesto, decidí aprovechar la oportunidad.

El impacto de esa inesperada sonrisa dejó a Zayed sin palabras. Por primera vez vio que sus ojos eran de color caramelo y que su entusiasmo los hacía brillar como el más precioso ámbar. ¿Por qué no sonreía más a menudo en lugar de ir por ahí con esa expresión tan seria y antipática?

Pero Jane Smith era seria y antipática, se recordó a sí mismo. Y por esa razón era perfecta para el papel que tenía en mente. Él no quería una mujer atractiva que pudiese tentarlo, sino un matrimonio breve y frío que sería anulado cuando consiguiese Dahabi Makaan.

–Veo que te encanta mi país.

–Desde luego –respondió ella.

–Pero nunca has estado allí.

–No, nunca he estado en Kafalah.

–¿Pero te gustaría ir?

Ella lo miró con la expresión de un niño al que hubieran ofrecido un helado en un día de asfixiante calor.

–Por supuesto que sí, pero tendría que ser invitada –respondió, haciendo una mueca de tristeza–. Necesitaría dinero para el viaje y el alojamiento y no puedo permitírmelo.

–Pero si fueras invitada y si el dinero no fuese un problema, estarías encantada de ir a Kafalah.

Ella hizo un gesto de impaciencia.

–Evidentemente.

–Entonces creo que podemos hacernos un favor el uno al otro.

Jane frunció el ceño.

–No entiendo, Alteza. Aún no sé qué hago aquí. ¿No va a decirme cuál era su propósito al invitarme a cenar?

Él asintió, pensando que debía dejar bien claras las

condiciones desde el principio. Jane Smith debía saber el honor que estaba a punto de otorgarle.

–Necesito una esposa –anunció sencillamente–. Y tú eres la candidata perfecta.

Capítulo 3

JANE miró a Zayed, pensando que había oído mal, pero la expresión del jeque le decía que no era así. A la luz de las velas vio que la miraba muy serio y pensó que si no era un error, entonces debía de ser una broma de la que nadie le había dicho nada. ¿Un hombre como Zayed pidiéndole matrimonio a ella?

–¿Cómo puedo ser yo la perfecta candidata? –le preguntó, a la defensiva, pensando que estaba riéndose de ella–. ¡Usted sale con las mujeres más bellas del mundo y yo no soy más que una humilde empleada de la embajada!

–Eres una empleada muy valiosa –dijo él.

–¡Pero una empleada, no una de sus muchas novias! –Jane lo fulminó con la mirada–. ¿Qué clase de juego es este, Alteza?

Él pareció sorprendido por la acusación y eso la complació. La hizo sentir como si hubiera recuperado parte del control que parecía estar perdiendo en los últimos días. Estaba suficientemente preocupada por Cleo sin tener que soportar los juegos del arrogante jeque.

–No es un juego, sino la genuina necesidad de encontrar una esposa lo antes posible.

–Pero yo no...

–Sí, lo sé –la interrumpió él, impaciente–. Tú no cumples ninguno de los requisitos que, naturalmente, se esperan de una mujer que va a convertirse en mi esposa. No eres noble, ni rica, ni hermosa...

A Jane se le encogió el corazón.

–¿Para eso me ha invitado a cenar, para insultarme?

–No, es la verdad –respondió él tranquilamente–. Y las cualidades que te hacen inapropiada también te convierten en la perfecta candidata para ser mi esposa.

–Lo que dice no tiene sentido.

–Entonces deja que te lo explique –Zayed se echó hacia atrás, absolutamente cómodo en la suntuosa sala privada del restaurante–. Por supuesto, sabes del reciente fallecimiento de mi abuelo materno.

–Sí, claro. Le acompaño en el sentimiento, Alteza.

Él inclinó la cabeza.

–En su testamento, mi abuelo me dejó unas tierras...

–¿Qué tierras? –lo interrumpió ella, sin poder disimular su curiosidad.

–Dahabi Makaan.

Jane asintió, frunciendo los labios en un silencioso silbido.

–Es un legado muy importante. No son solo ricas en petróleo, sino también de considerable importancia estratégica para la región.

Él asintió con la cabeza.

–Perdona que haya pasado por alto tu conocimiento de la zona. Son, como tú dices, unas tierras de considerable importancia estratégica. Un regalo sorprendente de un hombre para quien yo he sido un extraño durante muchos años.

–Sé que hubo algún tipo de desavenencia que nunca

ha sido documentada, aunque muchos historiadores dicen que las dos familias se rompieron cuando su madre se casó con su padre.

–La razón es irrelevante. Lo único que necesitas saber es que esa desavenencia fue resuelta cuando visité a mi abuelo en su lecho de muerte, cuando todos los enfados y divisiones que crea la vida no cuentan para nada. Mi abuelo apretó mi mano y fue extraño ver cómo la edad lo había dulcificado. Podía ver remordimiento en su rostro... más remordimiento del que es habitual antes del momento de la muerte.

Por primera vez, Jane vio emoción en su rostro; una emoción oscura y amarga que le daba un aspecto casi salvaje. Pero se recuperó enseguida, escondiendo sus emociones tras una máscara de arrogancia.

–Mientras apretaba mi mano –siguió Zayed– me miró a los ojos y me dijo que había estado vigilando mi reino a distancia y que aprobaba cómo gobernaba mi país. Le dije que no necesitaba su aprobación, que no estaba en posición de ofrecerla ya que había rechazado a su única hija cuando se casó con mi padre... y que eso le rompió el corazón.

–¿Y qué dijo él? –preguntó Jane, sin aliento, porque el moribundo rey había sido una formidable personalidad en la región.

–Se echó a reír –respondió Zayed–. Y me dijo que era fuerte, pero temerario.

–¿Y tenía razón?

–Por supuesto que sí. Mi fuerza es legendaria y me gusta ser temerario.

Algo pareció acariciar la espina dorsal de Jane cuando dijo eso; algo que reconoció de inmediato porque había estudiado suficientes poemas eróticos como para reconocer el deseo cuando lo sentía. Un deseo inapropiado que jamás sería correspondido.

Deseaba al «rey del desierto», qué locura. Pero el deseo susurraba sobre su piel con dedos de seda y se extendía por sus venas como la miel, haciendo que sus pechos se hincharan bajo el jersey.

–Sigo sin entender qué tengo yo que ver con todo eso –murmuró, nerviosa–. Usted zanjó las desavenencias con su abuelo y él le dejó unas valiosas tierras en su testamento. Imagino que debería alegrarse.

–No es tan sencillo. Porque, desgraciadamente, mi abuelo puso una condición para que recibiese la herencia. Debo casarme para heredar y, aunque aborrezco la idea del matrimonio, necesito esas tierras para mi pueblo –le explicó Zayed, con creciente fervor–. Tanto que estoy dispuesto a casarme para conseguirlas.

–¿Y por qué no se casa con una de sus muchas novias? –le preguntó Jane–. ¿Por qué no se lo pide a la amante que se rumorea mantiene en un lujoso apartamento de Manhattan?

–Porque ella está enamorada de mí –respondió él tranquilamente–. Como lo están inevitablemente la mayoría de las mujeres. Y no puedo casarme con una mujer que está enamorada de mí porque el amor vuelve irracionales a las mujeres y hace que quieran cosas que nunca podrán tener.

Jane frunció el ceño.

–No entiendo.

–Yo no quiero amor y no deseo estar atado a ninguna mujer... hasta que peine canas y sea hora de tener un heredero. La unión que te propongo solo sería un medio para alcanzar un fin, una breve unión que será anulada después de seis meses.

–¿Con qué pretexto?

–Que el matrimonio no ha sido consumado, por supuesto –respondió Zayed, encogiéndose de hombros–. No mantendré relaciones con mi esposa.

El corazón de Jane latía fieramente dentro de su pecho mientras le daba vueltas a tan extraña proposición.

–De modo que ha decidido pedírselo a una mujer por la que no se siente atraído, ¿es eso?

–Exactamente –Zayed se echó hacia atrás en la silla, clavando en ella sus ojos negros.

–Y yo soy esa mujer.

–No se me ocurre una candidata mejor.

–Ya veo –Jane respiraba con tal dificultad que casi no podía hablar. Zayed no tenía ningún derecho a insultarla de ese modo y le gustaría hacer algo tan raro en ella como tomar el plato de arroz y tirárselo a la cabeza mientras le decía lo que podía hacer con su oferta. Hasta que recordó que no estaba en posición de hacer nada de eso. ¿Por qué arriesgarse a perder un trabajo que le encantaba solo porque aquel hombre hubiera herido su amor propio?

Además, Zayed la necesitaba, pensó entonces.

Y ella lo necesitaba a él.

¿Por qué enfadarse cuando solo estaba diciendo la verdad? Ella conocía sus limitaciones y sabía que nunca había sido la clase de mujer que atraía a los hombres. No se vestía para atraerlos, no compraba revistas de moda ni experimentaba con el maquillaje. Siempre se había apoyado en su cerebro y nunca se había molestado en pensar demasiado en su aspecto físico; eso se lo había dejado a su madre y a Cleo.

Cleo.

El corazón de Jane se encogió dolorosamente. Cleo, que debía tanto dinero que un hombre con voz amenazadora hacía llamadas siniestras a su teléfono. ¿Se le había olvidado? ¿Había olvidado el terrible problema de su hermana? Había aceptado aquella inesperada invitación en parte porque pensaba pedirle ayuda, pero tal vez aquella escandalosa proposición la ponía en una posición ventajosa. Una posición en la que podía negociar. Si Zayed quería que se casase con él, ¿por qué no pedirle algo a cambio?

–¿Cree que podría soportar estar casada con un hombre como usted durante seis meses? –le preguntó, intentando que su voz sonase firme.

–Creo que podrías soportarlo perfectamente. Para empezar, visitarías Kafalah –respondió él, su tono tan sugerente como el de un hipnotizador–. Además, te alojarías en el famoso palacio real.

Sus insolentes palabras dejaron a Jane sin aliento. Era manipulador además de arrogante. ¿De verdad pensaba que se conformaría con soportar su compañía durante seis meses para ver de cerca algunas de las antigüedades que había pasado la mitad de su vida estudiando?

No, el jeque Zayed az-Zawba iba a tener que pagar un precio mucho más alto. Jane miró la inmaculada servilleta blanca sobre su falda, pensando que debía elegir bien sus palabras porque una vez que las pronunciase no podría echarse atrás.

Sería muy satisfactorio rechazar su proposición. Mirarlo de abajo arriba y decirle que tal sugerencia era inapropiada e insultante y que no se le ocurría peor destino que estar casada con un hombre como él durante seis meses. Pero no podía rechazar su proposición... si el precio era el adecuado.

Significaría tener que tolerar la compañía de un hombre que la sacaba de quicio, aunque consiguiera hacerla sentir un cosquilleo en partes de su cuerpo donde nunca antes lo había sentido. Su presencia era exasperante, embriagadora y peligrosa para su amor propio, pero en realidad, ¿cuánto tiempo tendría que pasar con él?

El monarca de Kafalah era todopoderoso y ese matrimonio no sería un matrimonio normal. Sin duda, Zayed estaría ocupado en reuniones o galopando por todo el país sobre uno de sus famosos sementales negros. Nadie esperaría gestos de afecto. En realidad, no estarían casados, solo tendrían que dar la impresión de estarlo y ella sería libre para explorar el maravilloso palacio y todas sus joyas artísticas.

–Si aceptase –empezó a decir, mirando esos ojos negros de halcón clavados en ella– esperaría alguna recompensa.

–¿Una recompensa? –repitió él, frunciendo el ceño–. ¿Estás hablando de dinero?

Notó el disgusto en su tono y sintió que se ponía colorada, pero se obligó a recordar que él no era su amigo. No le debía nada y, desde luego, no necesitaba su aprobación. Si Zayed estaba dispuesto a explotar el amor que sentía por su país para que aceptase casarse con él, ¿por qué no explotar su inflada cuenta bancaria para salvar a su hermana? Solos los ricos podían ser tan despectivos sobre las preocupaciones económicas de los demás.

–Claro que hablo de dinero. ¿No cree que debería ser recompensada por aceptar tal proposición?

Él hizo una mueca.

–Evidentemente, recibirías una pensión cuando el matrimonio sea anulado. Imagino que podrás controlar tu avaricia hasta entonces.

–No, la verdad es que no. Lo necesito ahora –respondió ella, con más urgencia de la que pretendía.

–Ah, ya veo –murmuró Zayed con tono helado–. ¿Y se puede saber por qué lo necesitas ahora?

Jane abrió la boca para contárselo, pero lo pensó mejor. Zayed era temerario, sí, pero también era astuto y no tenía escrúpulos. Decían que el conocimiento era poder, algo de lo que él ya tenía demasiado. ¿Para qué revelar más de lo que debería sobre su problema familiar cuando no sabía cómo usaría Zayed ese recurso?

–Razones personales –respondió–. No quiero aburrirlo, Alteza.

Él hizo un gesto de irritación y Jane sospechó que Zayed az-Zawba era uno de esos hombres que solo querían algo cuando no podían tenerlo.

«Así que empieza a mostrar carácter. Ponle en su sitio».

–Entonces, ¿tenemos trato o ha cambiado de opinión?

–¿Cuánto? –preguntó él.

Haciendo un rápido cálculo mental, Jane añadió a la deuda de Cleo una suma razonable como intereses y Zayed asintió con la cabeza cuando le dijo la cantidad.

–¿Satisfecha ahora? –le preguntó con aire de superioridad.

–No del todo. Quiero poner otra condición antes de aceptar.

–¿Más condiciones? Eres una negociadora muy dura, Jane Smith. Vamos, dímelo, porque estoy empezando a perder la paciencia.

Jane estaba decidida a seguir adelante porque, aunque pensaba hacer ese sacrificio por su hermana, no iba a dejar que Zayed se riese de ella.

–Ha dicho que el matrimonio será anulado en seis meses con el pretexto de que no ha sido consumado.

–Imagino que eso no va a ser un problema para ninguno de los dos, ¿verdad?

–No, para mí no –admitió Jane, esperando dar a entender que lo encontraba repelente. Por supuesto, no iba a contarle que seguía siendo virgen–. Pero imagino que será más difícil para usted ya que no parece el tipo de hombre que aceptaría encantado seis meses de celibato.

–Eres una mujer muy perceptiva –asintió él, burlón–. Es cierto que no puedo vivir sin sexo, pero imagino que tú entiendes mis apetitos, aunque no los compartas, y podrás mirar discretamente hacia otro lado.

La sonrisa que acompañó tal comentario era la confirmación que Jane necesitaba y, aunque por dentro echaba humo, escondió sus sentimientos bajo una falsa compostura.

–Solo aceptaré su proposición si promete no acostarse con otras mujeres en ese tiempo.

–No acostarme con otras mujeres –repitió él, como si le hubiera pedido que escalase el Everest sin equipamiento.

–Eso es.

–¿Eres celosa? –le preguntó Zayed.

–No, en absoluto, pero no habrá trato a menos que

acepte cortar todo contacto con su amante americana... o con cualquier otra hasta que nos hayamos divorciado. No quiero que la gente se ría a mis espaldas.

La frustración competía con la admiración en los ojos negros mientras sacudía la cabeza.

–Eres una dura negociadora, Jane Smith.

–¿Esperaba que aceptase todo lo que usted propusiera, sin más?

–Sí –respondió él–. Eso es lo que esperaba.

Su sinceridad la desarmó lo suficiente como para hacer una pregunta innecesaria, aunque después desearía no haberse molestado.

–¿Y qué hubiera hecho si yo tuviese novio? ¿Si no hubiera podido aceptar su proposición?

Su sonrisa era más reveladora que cualquier respuesta.

–Te hubiera convencido en cualquier caso –respondió tranquilamente–. Aunque estaba seguro de que no tenías novio.

«No preguntes».

Pero Jane preguntó.

–¿Por qué estaba tan seguro?

Él la miró con expresión calculadora, como los granjeros miraban en los mercados mientras decidían cuánto pagar por una vaca. Y, aunque era una mirada repulsiva, eso no evitó que su cuerpo reaccionase. Jane sintió un sutil escalofrío en sus pechos cuando la mirada de Zayed pasó sobre ellos. Por un momento se sintió indefensa, débil y vulnerable. Y, sin embargo, era una sensación... excitante, como si estuviera ahogándose en su brillante mirada oscura, pero queriendo hundirse más.

Se preguntó si Zayed se daría cuenta del efecto que ejercía en ella, como si fuera una flor cerrada abriendo lentamente sus pétalos bajo el calor de su mirada. Como si el mundo pudiera convertirse en un sitio diferente si él la tomase entre sus brazos y la aplastase contra su ancho torso.

¿Y no deseaba de repente tener una varita mágica para que así fuera? ¿Ponerse a prueba para ver si ella poseía la sensualidad que otras mujeres daban por sentado?

Pero Jane apartó tan caprichosos pensamientos, recordando que mientras los sueños de Cleo siempre habían sido imposibles los suyos eran modestos y alcanzables. Ella conocía sus limitaciones y Zayed jamás debía saber cómo la hacía sentir, eso era vital. No sabía por qué, solo sabía que sería peligroso. Manteniendo una apariencia de serenidad, sostuvo su burlona mirada mientras se preparaba para escuchar la respuesta. Aunque el instinto le decía que no iba a gustarle.

–¿Por qué estaba tan seguro de que no tenías novio? Porque hay una rigidez en ti muy poco habitual. En tu actitud y en tu forma de vestir. No pareces una mujer que esté particularmente «satisfecha».

Sus ojos negros brillaban de burla y algo más; algo que susurraba sobre su piel como una peligrosa caricia.

–De hecho –siguió él– no me sorprendería nada descubrir que eres virgen.

Capítulo 4

DEBERÍA estar emocionada.

Debajo de ella, donde la sombra del avión hacía un viaje paralelo, veía la austera magnificencia del desierto de Kafalah, con sus interminables dunas puntuadas por algún grupo de palmeras. Pronto llegarían a la antigua ciudad de Tirabah, donde estaba el famoso palacio del jeque, que Jane había querido visitar desde que empezó sus estudios sobre Oriente Medio. Ir a Kafalah había sido un sueño que jamás pensó ver cumplido, así que debería estar emocionada. Pero no lo estaba.

Estaba asustada.

Asustada de lo que la esperaba. De haber aceptado ciegamente casarse con alguien que era todo lo que ella despreciaba en un hombre. De estar tan cerca de Zayed az-Zawba y a merced de unos sentimientos inesperados que la abrumaban cada vez que la miraba.

Se decía a sí misma que no tenía opción porque, al aceptar la proposición del jeque, podría pagar la deuda de su hermana y, además, la había hecho prometer que empezaría a vivir de acuerdo a sus posibilidades. Había evitado las preguntas de Cleo sobre cómo había conseguido el dinero, pero la expresión de su hermana melliza cuando le dio la noticia había sido inolvidable.

–¿Vas a casarte con el jeque de Kafalah? –exclamó, incrédula–. ¿Tú?

–Así es.

–¿Te refieres al jeque guapísimo que aparece en las revistas?

–Algunas personas piensan que es atractivo.

–Imagino que tú también lo piensas si vas a casarte con él.

Cuando Jane no respondió, Cleo la miró con sus ojos verde esmeralda abiertos de par en par; unos ojos nada parecidos a los de Jane en color y forma, pintados con sombra gris, las pestañas alargadas y oscurecidas por varias capas de máscara.

–Vas a hacerlo por mí, ¿verdad? Es así como has conseguido el dinero... casándote con un famoso mujeriego –Cleo se mordió los labios–. No puedo dejar que lo hagas, Jane.

–Pero no puedes evitarlo y no voy a dejar que lo intentes siquiera. ¿Qué otra cosa puedo hacer? –Jane intentaba parecer convencida, aunque no lo estaba en absoluto–. En serio, tampoco será tan difícil.

¿De verdad había dicho eso? ¿Y lo pensaba? En cualquier caso, ¿por qué no había podido pegar ojo desde que Zayed volvió a su país para preparar la boda? ¿Por qué despertaba cuando el mundo aún estaba a oscuras, con el camisón empapado de sudor y un insistente latido entre las piernas?

–Estamos a punto de aterrizar, señorita Smith.

La voz de la azafata interrumpió sus pensamientos y Jane levantó la mirada, preguntándose cómo reaccionarían los empleados del palacio cuando descubrieran que

Zayed había elegido como esposa a una mujer tan poco memorable.

–Gracias –respondió en su idioma, uno que muy pocos occidentales conocían.

La joven hizo una inclinación de cabeza antes de responder:

–Permítame darle la bienvenida a Kafalah. El ayudante del jeque acaba de llamar para decir que Su Alteza ya ha llegado al aeropuerto. Aterrizaremos en diez minutos, por si quiere arreglarse un poco.

–Muchas gracias.

Cuando la azafata desapareció, Jane se dirigió a uno de los dos lujosos cuartos de baño, situados en la parte trasera del avión, para lavarse las manos y mojarse la cara con agua fría. Pero se sentía acalorada cuando por fin aterrizaron y vio un elegante coche negro en la pista. Y, a su lado, el formidable Zayed az-Zawba, con una túnica del blanco más puro que reflejaba el ardiente sol del desierto.

Sus pantalones de lino con un top a juego, que había elegido porque era un atuendo práctico y fresco, estaban arrugados después del largo viaje y vio a Zayed esbozar una desdeñosa sonrisa mientras se acercaba. Se dijo a sí misma que le daba igual lo que pensara de su aspecto. En realidad, era mejor que la mirase con desdén porque tal vez así su estúpido cuerpo dejaría de reaccionar tan violentamente cada vez que él estaba cerca.

Pero su corazón estaba acelerado y sus pechos empujaban insistentemente contra el sujetador cuando clavó en ella su oscura mirada. Podía sentir ese latido tan poco familiar entre las piernas y estaba sin aliento cuando por fin lo saludó.

–Hola, Alteza.

Zayed estaba contrariado. ¿Cómo se atrevía a llegar a su país con ese aspecto tan deslucido? Por suerte, pronto sería vestida por los servidores del palacio, como dictaba la tradición de Kafalah. Aunque tendrían que hacer un milagro para convencer a su pueblo de que Jane Smith era una novia adecuada. ¿Se vestiría tan mal deliberadamente? Sospechaba que no tenía el menor interés por la moda, pero no era el momento de reprenderla porque le interesaba que su presentación en palacio fuese lo más agradable posible.

De modo que la saludó con la cabeza mientras abría la puerta del coche. Jane se sentó a su lado, apartándose todo lo que le era posible y juntando primorosamente las rodillas. Si no fuera tan insultante, habría sido divertido. ¿De verdad pensaba que estaba en peligro? ¿De verdad imaginaba que él querría pasar los dedos por el arrugado pantalón de lino cuando estaba acostumbrado a mujeres vestidas con seda y satén? ¿O que le excitaba ver su pelo sujeto en ese apretado moño?

–Tienes que dejar de dirigirte a mí de ese modo tan formal. Acostúmbrate a llamarme Zayed.

–Sí, supongo que tienes razón.

–Dilo. Di mi nombre.

Ella apretó los labios, como si le molestase recibir órdenes.

–Zayed –dijo por fin.

Él sintió que su pulso se aceleraba... ¿porque no era esa velada insurrección casi excitante?

–Dilo otra vez –le ordenó–. Dilo en voz baja, de un modo que pueda convencer a un jefe de estado de que pronto serás mi adorada esposa.

Jane apretó los puños.

–Zayed –repitió, pronunciando la palabra como si estuviese arrancando una mala hierba.

–Un poco mejor, pero vas a tener que ensayar más –se burló Zayed.

Ella miraba por las ventanillas tintadas, como bebiéndose la imagen del desierto.

–Me sigue pareciendo increíble que de verdad vayamos a casarnos –admitió, volviendo sus ojos hacia él.

–Imagino que el pago que has recibido te ayudará a acostumbrarte –Zayed hizo una pausa–. ¿Qué has hecho con el dinero que te di?

Jane enarcó una ceja.

–¿Eso importa?

–Pensé que un marido tenía derecho a saberlo todo sobre su mujer. ¿No es así en los matrimonios modernos?

–Pero tú aún no eres mi marido y solo lo serás durante seis meses. Nada de esto es real, ¿no?

Zayed se encogió de hombros.

–Imagino que no estás acostumbrada a manejar una suma tan grande de dinero. Si te parece, puedo pedirle a alguno de mis asesores que te aconseje sobre inversiones. Tal vez podrías comprar alguna propiedad.

–¿Te das cuenta de lo condescendiente que suena eso? –le espetó Jane, intentando controlar su rabia–. No voy a hacer ninguna inversión. El dinero es para mi hermana.

–¿Por qué?

Ella se encogió de hombros y, de repente, Zayed se fijó en el ligero temblor de sus pechos.

–Tenía que pagar una deuda.

–Qué suerte tener una hermana como tú, dispuesta a pasar seis meses con un hombre tan difícil para poder rescatarla –dijo él, sarcástico.

–Eso es lo que hacen las familias. Se ayudan unos a otros.

La suya no, pensó Zayed con amargura. La suya había sido destruida cuando él era un niño.

Pero no debería sorprenderle que Jane estuviese haciendo aquello para ayudar a su hermana. La idea de que se hubiera visto deslumbrada por el señuelo del dinero no encajaba con lo que sabía de ella. Se fijó entonces en lo clara que era su piel y en lo brillantes que eran sus ojos. ¿Señal de que llevaba una vida sana?, se preguntó. Probablemente.

Pensó entonces que Jane era una mujer ignorada, como un libro que hubiera sido colocado al fondo de una estantería y que nadie se hubiera molestado en estudiar de forma apropiada. Tal vez se sentía cómoda así. Tal vez por eso vestía como lo hacía, para que nadie se fijase en ella. Sin embargo, su ética profesional la hacía destacar y su severa y directa actitud era algo con lo que no se había encontrado antes. El embajador le había dicho que trabajaba hasta muy tarde y prefería pasar el día leyendo antiguos manuscritos más que hacer vida social.

En realidad, Jane Smith era una mujer muy misteriosa.

Pensó en la indirecta que había lanzado en Londres, una indirecta a la que ella se había negado a responder, aunque había visto las conflictivas emociones reflejadas en su rostro antes de que pudiese disimular.

¿De verdad sería virgen?, se preguntó, sintiendo que

su entrepierna se endurecía bajo la túnica de seda. El señuelo de lo desconocido era muy potente para un hombre cuyo apetito sexual estaba a veces hastiado.

Había disfrutado de muchas mujeres en su vida, más que la mayoría de los hombres de su edad, pero nunca había estado con una virgen. Nunca había escuchado el grito de una mujer mientras rompía su himen, ni se había enterrado en un túnel intacto. Incluso las mujeres que le llevaban cuando era un adolescente para instruirlo en el arte del amor habían sido elegidas por su experiencia.

Zayed hizo una mueca al recordar cómo sus compañeros de universidad habían envidiado su vida de príncipe y el fabuloso palacio en un país del que algún día sería el rey. Todos sabían que poseía riquezas y libertad sin límites, pero no sabían la razón. ¿Por qué tantos regalos a un chico tan joven? Como si las mujeres, el oro y los mejores sementales árabes pudieran compensar por lo que le había sido arrancado o por el sentimiento de culpa que había sido su constante compañero desde que era niño.

Sintió que una garra apretaba su corazón, pero disimuló como llevaba haciendo tantos años.

–¿Sabes lo que nos espera? –le preguntó–. ¿Desde la ceremonia de la boda a lo que ocurre después?

Jane asintió.

–He estudiado el protocolo y sé que me vestirán con el traje tradicional de Kafalah, que solo llevan las novias reales, y que llevaré en la cabeza la antigua corona de esmeraldas de la dinastía Az-Zawba.

–Exactamente. Y también sabrás que pasaremos la noche de bodas en un aposento que es especialmente preparado para los recién casados, en una de las torres del palacio. Y que debemos presenciar la salida del sol, simbolizando el amanecer de nuestra nueva vida como marido y mujer.

–Sí, lo sé –dijo Jane en voz baja, aferrándose al bolso como si fuera un escudo. Porque acababa de hablar de la parte que más la asustaba. La parte de toda aquella farsa que hacía que se le encogiera el estómago.

La antigua tradición de colgar una sábana ensangrentada en la ventana para demostrar que la novia era virgen era algo del pasado, afortunadamente. Pero tendrían que pasar la noche juntos y eso era algo que temía más cada segundo que pasaba.

Cuando levantó la mirada y se encontró con los ojos negros de Zayed intentó no echarse a temblar. ¿Se habría dado cuenta de que estar tan cerca de él la estremecía? ¿Que su pulso latía como loco y sentía un extraño calor entre los muslos? Si era así, ¿qué iba a hacer cuando estuviese encerrada con él en una habitación en su noche de bodas?

«Enfréntate a ello».

–Pero supongo que a nadie le importará que tengamos habitaciones separadas, ¿no?

–Al contrario. Las tradiciones son importantes en Kafalah y pienso honrarlas. Solo voy a casarme para heredar Dahabi Makaan, pero mi pueblo se alegrará al pensar que su rey ha encontrado por fin una esposa.

–¿Aunque no sea cierto?

–Aunque no sea cierto.

Jane empezó a jugar con el asa del bolso.

–¿Y no se llevarán una desilusión cuando tires la toalla después de seis meses de matrimonio?

Él negó con la cabeza.

–No, en absoluto. Sencillamente, emitiré un comunicado diciendo que me resulta imposible vivir con una mujer occidental, que nuestras culturas son demasiado diferentes y que no volveré a casarme a menos que sea con una mujer de Kafalah. Eso será suficiente para satisfacerlos y, además, mantendrá a miles de mujeres emocionadas, pensando que ellas podrían ser las elegidas.

Aunque se decía a sí misma que no debería importarle, Jane no podía negar que se sentía herida por esas palabras. Qué cruel y despreciativo. Parecía mirarla como un objeto sin sentimientos con el que podía jugar a voluntad.

Cuando miró de nuevo por la ventanilla y vio el edificio del palacio a lo lejos su corazón se aceleró. Conocía bien el famoso palacio, ya que aparecía en casi todas las publicaciones y noticias de Kafalah, además de en miles de cuadros y fotografías. Pero nada podría haberla preparado para la espectacular visión que apareció como una ciudadela de ensueño en el desértico paisaje.

Cubierto de pan de oro, con cúpulas azules y altísimas torres que parecían rozar un cielo sin nubes, el palacio brillaba en el horizonte como una joya. Había un grupo de guardias frente a las enormes puertas con volutas de plata y oro, y Jane sabía que los diamantes incrustados que hacían guiños bajo el sol eran auténticos.

Recorrieron un ancho camino flanqueado por altas palmeras hasta llegar al impresionante patio de la entrada, con una fuente a cada lado. Jane sabía que detrás del palacio había un jardín secreto con un espejo colocado de tal modo que enmarcaba la luna, un sitio que se rumoreaba era el más romántico de la Tierra. A su alrededor había rosales con flores de color rojo y albaricoque, y Jane bajó la ventanilla para respirar su profundo aroma. Era todo lo que había soñado y un suspiro de admiración escapó de sus labios cuando el coche se detuvo frente a las enormes puertas abovedadas con incrustaciones de ópalos.

–Todo es tan increíble –murmuró–. No puedo creer que esté aquí de verdad.

–¿Te gusta mi casa, Jane Smith?

Jane casi había olvidado que Zayed estaba a su lado y lo encontró mirándola con un gesto de aprobación. ¿Por qué hablaba en voz baja y acariciadora, cada palabra rozando su piel como el terciopelo? ¿Y por qué sus ojos brillaban como si hubiera dicho algo maravilloso cuando había dicho algo obvio, que aquel era un sitio de cuento de hadas para cualquier persona normal?

–Tú sabes que este palacio es un lugar bellísimo –dijo Jane, apartando la mirada.

Pero en lugar de responder con desdén o arrogancia, para recordarle que no podía soportarlo, los ojos negros de Zayed brillaron con algo que parecía curiosidad.

–¿Qué te hace ser una mujer tan arisca? –le preguntó en voz baja.

–Solo lo soy con algunas personas.

–¿Como yo, por ejemplo?

–Como tú –asintió ella.

–¿Y por qué es así?

No podía contarle las razones por las que era arisca con él porque intentaba no pensar en ellas. Como lo sensuales que eran sus labios o que su musculoso cuerpo hacía que recordase los textos eróticos que había estudiado durante la última semana. De repente, se sentía frágil. Como si un aliento suyo fuera lo bastante fuerte como para hacerla caer... directamente en sus brazos.

Fulminándolo con la mirada, apretó el asa del bolso.

–Mi personalidad es completamente irrelevante.

–Pero quiero saberlo –insistió él–. Y es más, pienso averiguarlo. ¿Cómo si no vamos a pasar el tiempo?

Jane no respondió. No se atrevía, de modo que giró la cabeza para mirar fijamente por la ventanilla porque eso era más fácil que mirar la negra tentación en los ojos del jeque.

Capítulo 5

AL PRINCIPIO, Zayed pensó que estaba viendo visiones.

La música de un *chang* señaló la llegada de la novia y Zayed no podía dejar de mirarla, incrédulo. Por un momento pensó que era una impostora. Porque aquella mujer que caminaba hacia él con la brillante corona de esmeraldas y un ramo de fragantes rosas de los jardines del palacio no podía ser Jane Smith.

El vestido, con joyas bordadas, era modesto porque la cubría de la cabeza a los pies, pero desde tiempos inmemoriales el tradicional vestido de novia de Kafalah procuraba mostrar las formas femeninas en toda su gloria y tentar al rey que la llevaría a sus aposentos esa noche. Zayed tragó saliva. Y así era. Bajo la brillante luna en el cielo, así era.

Pegándose como mantequilla derretida a la curva de sus pechos, el vestido destacaba una cintura sorprendentemente estrecha antes de caer en capas hasta el suelo. Zayed sintió una oleada de sangre concentrándose en su entrepierna. ¿Quién hubiera imaginado que Jane Smith poseía un cuerpo como aquel bajo los aburridos y amorfos trajes que solía llevar?

Y la transformación física no terminaba en el vestido. Era como si hubiera estado intentando leer un libro en la oscuridad, sin entender lo que leía hasta que corrió las cortinas. Hasta entonces solo la había visto con el pelo sujeto en un moño y sin una gota de maquillaje, pero en ese momento...

Sus ojos de color ámbar, oscurecidos por el *kohl*, parecían sensuales y tres veces más grandes. Llevaba los labios pintados con un carmín de color cereza y Zayed los miró, asombrado, preguntándose por qué no se había fijado antes en esos labios tan voluptuosos. ¿No estaba esa boca hecha para que un hombre la cubriese de besos... antes de ponerla a trabajar sobre un erecto y dolorido pene para que lo lamiese hasta hacerlo explotar? En cuanto a su pelo...

Zayed sacudió la cabeza porque pasar los dedos por el pelo de una mujer era uno de los grandes placeres conocidos para el hombre y hasta ese momento no sabía que el pelo de Jane Smith fuese tan bello. En lugar de estar sujeto en un aburrido moño, caía en capas por su espalda, apartado de la cara por dos broches de esmeraldas que también sujetaban el velo, que flotaba tras ella como un diáfano rayo de sol.

La punzada de deseo que recorrió sus venas era más poderosa por inesperada. Podía sentirlo en el calor de su sangre y en el pulso entre sus piernas. Y que ella no estuviese mirándolo... ¿no espoleaba eso aquel repentino e inconveniente deseo?

Él estaba acostumbrado a que las mujeres flirteasen, no a que bajasen la mirada escondiendo su expresión y manteniendo las distancias. Cuando Jane llegó a su lado, de nuevo se quedó atónito por la belleza de esos ojos color ámbar que brillaban como oro bruñido.

Pero la belleza, como el deseo, era uno de los regalos más efímeros de la vida y el deseo de Zayed fue remplazado por una punzada de dolor. Porque, por mucho que intentases controlar los dolorosos recuerdos, a veces no podías evitar que te bombardeasen. ¿No era natural que recordase a su madre aquel día? ¿Y no era natural pensar amargamente que, si no se hubiera dejado llevar por la perniciosa mezcla de hormonas que algunos llamaban «amor», aún seguiría viva?

Y él no tendría que cargar con la culpa de su muerte.

El sentimiento de culpa lo atrapó, pero se alegraba porque eso lo ayudó a aclarar sus pensamientos y poner las cosas en perspectiva. ¿Qué importaba que aquel fuese un matrimonio falso? Si su pueblo anhelaba una versión de cuento de hadas de una boda real iban a llevarse una desilusión. Antes de que terminase el año tendrían que aceptar que su matrimonio se había roto y pasarían muchos años antes de que repitiese la experiencia. Estaba absolutamente decidido.

Aquello solo era un medio para conseguir un fin.

Cuando Jane llegó a su lado le ofreció su mano y notó que temblaba. ¿Estaba nerviosa? ¿O, como él, estaría preguntándose cómo iban a soportar esa noche cuando los dos sabían que no habría sexo? Hasta cinco minutos antes apenas había pensado en su noche de castidad, pero de repente intuyó el peligro.

¿Y si su deseo por ella crecía? ¿Y si aquella inconveniente ansia exigía satisfacción?

Zayed apretó los labios. No podía permitirlo. Por mucho que aquella nueva Jane lo tentase, no podía tenerla.

–¿Todo bien? –le preguntó en voz baja.

La expresión de Jane era tan severa como siempre.

Parecía estar diciéndole con los ojos que preferiría estar en cualquier otro sitio y, de repente, experimentó otra poderosa oleada de adrenalina, más potente que nada que hubiera sentido en mucho tiempo porque no estaba acostumbrado a esa indiferencia.

Nunca había tenido que luchar por una mujer, ni hacer un esfuerzo por ganarse su afecto o acostarse con ninguna. Zayed sintió otra punzada de deseo al mirar su obstinada expresión. Lo que daría por poder echar a todo el mundo del salón del trono y aplastar esos labios rojos con los suyos. Lo que daría por meter su mano bajo el vestido para encontrar la fresca piel desnuda...

¡Seguro que eso borraría su altiva expresión!

–Zayed...

La voz de Jane interrumpió sus pensamientos y se dio cuenta de que lo miraba con gesto de reproche.

–¿Qué ocurre?

–Hassan te ha hecho una pregunta y tú parecías estar a kilómetros de aquí.

¿Qué estaba haciendo? ¿De verdad estaba permitiendo que una fantasía prohibida lo hiciese olvidar su deber? ¿Y por qué estaba fantaseando con una mujer tan rígida como Jane? Haciendo un esfuerzo, se volvió hacia su ayudante.

–Dime, Hassan. ¿Qué ocurre?

–Solo preguntaba si estaba preparado para dar comienzo a la ceremonia, Alteza.

–Sí, sí –respondió Zayed, impaciente–. Vamos a terminar con esto de una vez.

Para Jane, la ceremonia fue un borrón. Había estudiado la ceremonia, decidida a hacerlo bien. Había pensado que aprender las palabras de memoria haría que no tuvieran sentido cuando las dijese en voz alta, pero no fue tan fácil. Titubeó mientras prometía amar al jeque para siempre, con todo su corazón, su cuerpo y su alma, y Zayed puso un pesado anillo de oro y esmeraldas en su dedo. De repente, se sentía como una hipócrita por hacer tan solemnes votos en vano y rezó para que los habitantes de Kafalah no se sintieran decepcionados cuando llegase el inevitable final.

¿Pero qué otra cosa podía hacer si quería liberar a su hermana de sus pasados errores? ¿No había prometido Cleo que viviría de acuerdo a sus posibilidades a partir de ese momento? No sabía si cumpliría su palabra, pero tenía que confiar.

Y habría otros beneficios de tan extraña unión, también debía recordar eso. Kafalah sería un país mucho más rico y fuerte cuando Zayed heredase Dahabi Makaan. A veces había que hacer sacrificios por el bien común, se recordó a sí misma. Y no la mataría interpretar el papel de la esposa del jeque durante seis meses.

Pero hubo un momento al principio de la ceremonia que había encogido su corazón. El momento en el que se dirigía hacia Zayed y lo vio mirándola como si no pudiese creer lo que veía. Claro que ella misma apenas reconocía a la mujer que vio reflejada en el espejo cuando le pusieron el vestido de novia.

Era una Jane sensual y provocativa, totalmente contraria a la mujer inexperta que había bajo las capas de tela. Pero cuando la oscura mirada de Zayed se clavó en ella, Jane se había sentido como una mujer por primera vez en su vida. Una mujer que parecía casi hermosa. Una mujer que podía ser deseada.

Pero esa mirada se había visto remplazada por una

expresión poco familiar que había borrado el habitual control en sus facciones de halcón. La miraba con gesto casi desolado. ¿Era dolor o desesperación lo que había visto en sus ojos? ¿Era la idea de atarse a ella, aunque solo fuera durante seis meses, la causa de tal angustia? Jane se mordió los labios. Pues peor para él. Había sido Zayed quien le propuso aquel matrimonio de conveniencia y tendrían que sacar el mayor partido posible.

Se celebró un banquete después de la ceremonia, pero Zayed había querido que fuese un evento discreto y ella lo agradecía. Tal vez le había parecido desatinado que los líderes mundiales presenciasen un matrimonio que tenía una fecha de caducidad.

De modo que, aunque el dorado comedor estaba lleno de invitados, eran sobre todo jeques de países vecinos. Karim de Maraban estaba allí con su esposa, Rose, y también el célebre príncipe que había desafiado las convenciones casándose con una humilde campesina.

Decidida a distanciarse emocionalmente de lo que estaba pasando, Jane intentó verlo todo con los ojos de un académico, recordando que estaba tomando parte en un momento histórico. Algún día su nombre aparecería en los libros de texto, posiblemente con una foto del día de su boda... antes del inevitable pie de página anunciando que el matrimonio había sido anulado seis meses después.

Pero era difícil mantenerse distante cuando su cuerpo parecía tener voluntad propia. Cuando sus pechos parecían querer empujar hacia el poderoso torso de Zayed en cuanto la tomó en brazos para abrir el tradicional baile. Apenas podía pensar con claridad... ¿y no era lo más irritante del mundo que Zayed se diera cuenta?

–Parece que te cuesta respirar, querida esposa –murmuró mientras se movían sobre la pista de baile.

–El vestido es muy ajustado.

–Me he dado cuenta –dijo Zayed, apretando su cintura–. Te queda muy bien.

Jane intentó esbozar una sonrisa, pero no podía relajarse.

–Gracias.

–¿O tal vez es la emoción de tenerme tan cerca lo que hace que jadees como un gatito?

–Me estás irritando más que excitarme. Y, por favor, deja de intentar sacarme de quicio.

–¿No te gusta que la gente te saque de quicio, Jane?

–No –respondió ella–. No me gusta.

–¿Por qué no?

Jane miró esos ojos negros y tuvo que disimular un escalofrío.

–¿Tiene que haber una razón para todo?

–En mi experiencia, sí –Zayed hizo una pausa–. ¿Algún hombre te ha hecho daño en el pasado?

Era su oportunidad de decirle que sí. ¿Qué más daba una pequeña mentira cuando ya habían tejido una compleja red de falsedades alrededor de aquella boda? Pero ella tenía una mente disciplinada, académica, y sabía que sería absurdo intentar engañar a un hombre tan astuto como Zayed.

¿Cómo iba a fingir ser una mujer con el corazón roto por un hombre cuando apenas la habían besado? Jane recordó ese horrible encuentro, durante su primer año de universidad, cuando un chico no dejaba de intentar meter la lengua en su boca con el vigor de alguien intentando desatascar un inodoro. Eso le había quitado las ganas para siempre.

Zayed había adivinado que era virgen, pero no sabía nada de su humillante falta de experiencia.

Intentando no dejarse afectar por el roce de su entrepierna, Jane lo miró con las mejillas ardiendo.

–¿Siempre insistes en interrogar a las mujeres con las que bailas?

–No, no lo hago –respondió él sencillamente–. Claro que nunca antes había tenido una esposa y nunca había bailado con una mujer tan decidida a no contar nada sobre sí misma.

–Y esa es la única razón por la que quieres saberlo –dijo ella en voz baja–. Porque te gustan los retos.

–A todos los hombres les gustan los retos, Jane. ¿Es que no lo sabes?

Ella no respondió. ¿Cómo iba a responder a esa pregunta sobre qué le gustaba o no a los hombres si no lo sabía? Cuando el baile terminó, suspiró de agradecimiento por poder escapar de la tentación de sus brazos, aunque echaba de menos la sensación del cuerpo de Zayed apretado contra el suyo. Estaba demasiado agitada y se dio cuenta de que la situación no iba a mejorar a menos que hiciese algo. El problema era qué hacer. Se le encogía el estómago al pensar en la noche que la esperaba y apenas pudo probar bocado, pero bebió un vino dulce y aromático que llamaban *karazib*... e inmediatamente sintió como si alguien hubiera inyectado fuego en sus venas. Era una sensación cálida y embriagadora, pero no estaba segura de que fuese lo mejor en ese momento.

¿Era esa la razón por la que le temblaban las piernas mientras se dirigían hacia la zona este del palacio, la procesión iluminada por una serie de antorchas haciéndola sentir como si estuvieran tomando parte en una obra medieval? A pesar de los nervios, cuando llegaron a la habitación en la torre, Jane se quedó deslumbrada por la escena que los recibió. Pétalos de rosas y flores de lavanda perfumaban una habitación iluminada por velones. Y, al otro lado de las ventanas, la luna llena creaba un plateado camino directamente hasta una cama con dosel, cubierta con tapices bordados.

–Los empleados del palacio han preparado la habitación para la novia y el novio –dijo Zayed en voz baja.

La puerta se cerró tras ellos y el corazón de Jane se aceleró al mirar a su flamante marido. Su sombra parecía agigantarse en la pared y tenía un aspecto tan oscuro y formidable que Jane no sabía qué hacer. Si nunca había besado a un hombre, evidentemente tampoco había compartido habitación con él. Y, aunque el dormitorio era enorme, las paredes parecían estar cerrándose a su alrededor. Empezaba a preguntarse dónde se había metido cuando aceptó su proposición en Londres, que en ese momento le parecía estar a un mundo de distancia.

Zayed le había dicho que no habría consumación del matrimonio, pero ninguno de los dos había tomado en cuenta el evidente obstáculo para eso.

Jane tragó saliva.

–Solo hay una cama.

–Por supuesto –Zayed se quitó el turbante y lo dejó caer al suelo–. Es la suite para nuestra luna de miel.

–Pero yo pensé...

–¿Qué habías pensado, Jane?

Nerviosa, ella miró alrededor buscando una escapatoria. Había leído muchas historias donde hombres y mujeres tenían que compartir dormitorio, ¿pero no había siempre a mano un sofá o una *chaise longue* para uno de ellos? Allí, en cambio, no había ni un sillón y el estrecho banco bajo la ventana no parecía capaz de acomodar a ninguno de los dos.

–Se supone que no vamos a consumar el matrimonio.

–Fui yo quien propuso este matrimonio, así que lo sé perfectamente.

–Entonces, ¿qué vamos a hacer?

–¿A qué te refieres?

–¿Cómo vamos a dormir si nos vemos obligados a compartir la cama?

Zayed se encogió de hombros.

–Nos tumbaremos uno al lado del otro. Los dos pensaremos en lo agradable que sería tocarnos de la manera más íntima y los dos rechazaremos esa posibilidad por razones evidentes. Yo estaré profundamente frustrado durante unos minutos antes de quedarme dormido, mientras tú estarás despierta durante horas, preocupándote, porque eso es lo que hacen las mujeres.

–Y tú lo sabes muy bien, claro.

–Por supuesto –asintió él, con una leve inclinación de su oscura cabeza–. Porque me he acostado con muchas mujeres.

–Y supongo que te sientes orgulloso de ello.

–¿De mi habilidad como amante? Desde luego. Las mujeres disfrutan de mi cuerpo... ¿por qué no iba a sentirme satisfecho sabiendo que les proporciono un intenso placer?

¿Por qué no? Sin embargo, su fanfarronería hizo que Jane quisiera decirle cuatro cosas. Claro que no serviría de nada. ¿Por qué le molestaba el comportamiento de un hombre al que despreciaba? ¿Por qué iba a importarle el placer que hubiese dado a otras mujeres? Tendrían que hacer lo que él sugería y tumbarse castamente uno al lado el otro. Por suerte, había llevado varios camisones en la maleta.

Cuando Zayed desapareció en el cuarto de baño, Jane se llevó las manos a la espalda para intentar desabrochar el vestido, pero no era fácil. Con gran esfuerzo, consiguió desabrochar tres botones, pero estaba casi llorando de frustración cuando él volvió al dormitorio, con una toalla blanca atada a la cintura. Y cuando la luna iluminó el musculoso cuerpo masculino, Jane se olvidó de los botones y de todo lo demás.

–¿Qué... qué crees que estás haciendo? –le espetó, intentando llevar oxígeno a sus pulmones.

–Prepararme para irme a la cama.

Jane quería apartar la mirada, pero era imposible no contemplar aquel cuerpo magnífico. Los anchos hombros y el poderoso torso cubierto de un suave vello oscuro que contrastaba con la piel cetrina. Las estrechas caderas, las piernas largas y musculosas... y el misterioso territorio entre ellas, cubierto por esa insustancial pieza de algodón.

Jane tragó saliva.

–Espero que no pienses dormir con eso.

–¿Qué propones que me ponga? –preguntó él.

–Un pijama.

–Un pijama –repitió él, esbozando una burlona sonrisa–. Una prenda aburrida que no he llevado nunca. Voy a dormir desnudo, como hago siempre.

–Pero tú...

–¿Qué?

–No puedes...

–¿Por qué no?

–¡Tú sabes por qué no!

–No, a menos que tú me lo digas.

Quizá podría fingir, ¿pero de qué serviría mostrar una despreocupación que no sentía? ¿Y no era absurdo intentar ser alguien que no era en aquellas circunstancias?

–Yo no... estoy acostumbrada a los hombres.

–Explícate –dijo él, colocándose a su espalda–. Y mientras me lo explicas, voy a desabrochar tu vestido para que no intentes disimular que estás mirando mi entrepierna.

–Eres repugnante –le espetó Jane, intentando apartarse.

–Soy realista. ¿Qué vas a hacer si no te ayudo a quitártelo? ¿Dormir con el vestido puesto?

Jane se mordió los labios porque tenía razón. Con el encaje y las piedras preciosas el vestido pesaba una tonelada y estaba deseando librarse de él.

–Muy bien, de acuerdo –asintió, enojada, sintiendo el delicioso aire fresco en su piel cuando desabrochó otro botón.

–Ibas a contarme algo –dijo él–. Por qué no estás acostumbrada a los hombres.

¿Debía contarle la verdad, la dolorosa verdad sin adornos? Tal vez sería lo mejor. Ella no tenía por qué impresionarlo, ¿no?

–Porque era una niña muy estudiosa.

–Sigue.

Jane vaciló mientras él seguía desabrochando botones, rogándole a su estúpido corazón que controlase sus frenéticos latidos.

–¿Sabes que tengo una hermana melliza?

–No, solo sabía que tenías una hermana. ¿Eso es relevante?

–Seguramente lo es.

Jane miró el brillante disco de la luna, pensando lo irreal que era todo aquello. En realidad era raro porque a nadie le había interesado nunca la historia de su vida, pero hablar sería la única forma de pasar el tiempo hasta que los venciera el sueño.

–No somos mellizas idénticas –le explicó–. Y ella es guapísima.

–Ah, ya veo.

No dijo «Tú también eres guapa», que hubiera sido lo más amable. Tal vez debería admirar su sinceridad, pero eso no evitó que le doliese.

–Así que a ti te clasificaron como la hermana lista mientras tu hermana era la guapa, ¿no? Y os hicisteis mayores interpretando los papeles que os habían sido asignados.

Jane estuvo a punto de volverse porque no esperaba que fuese tan perceptivo... hasta que recordó lo que llevaba puesto. O, más bien, lo que no llevaba puesto. Siguió mirando la luna en cambio.

–¿Cómo sabes eso?

–Es un patrón muy común. Todos cumplimos los papeles que nos dan de niños –respondió Zayed crípticamente–. Imagino que tu hermana intentó capitalizar su belleza mientras tú te concentrabas en los estudios.

–Has hecho que me investigaran –dijo ella molesta.

–No, en absoluto –Zayed desabrochó otro botón–. Cuando empezaste a trabajar en la embajada se hizo un control de seguridad y eso fue suficiente para mí. Sencillamente, es uno de mis hábitos observar a las mujeres, cuyo comportamiento es más previsible de lo que puedas imaginar.

–Si tanto sabes, tal vez tú mismo puedas terminar mi historia.

Zayed desabrochó otro botón y Jane cerró los ojos al sentir el hipnotizador roce de sus dedos.

–Creo que dedicas todo tu tiempo a estudiar y esa resolución te ha convertido en una persona imprescindible en la embajada.

–Cuidado, Zayed, eso suena como un cumplido.

–Imagino que sublimar tu feminidad es algo que se convirtió en una costumbre para ti porque tu guapa hermana era quien llamaba la atención. Y cuando conseguiste ingresar en una de las mejores universidades del país en lo último que pensabas era en los hombres.

Jane tragó saliva. Quería maldecirlo por su sincero análisis, aunque no podía menos que admirar lo acertadamente que había identificado su personalidad.

–Si algún día te aburres de gobernar tu país siempre podrías dedicarte a la psicología.

Zayed rio.

–Cuidado, Jane. Puede que no te interese hacerte atractiva para los hombres, pero imagino que nadie te ha advertido sobre la tensión sexual que crean los enfrentamientos verbales.

De repente, el ambiente parecía cargado de algo potente y peligroso. Jane notó una corriente de aire frío en la espalda y se dio cuenta de que Zayed había desabrochado todos los botones. Estaba a medio vestir en una habitación con un jeque casi desnudo tras ella... ¿y no sentía el extraño deseo de acariciar su piel desnuda y deslizar el pesado vestido por sus caderas? A pesar de haberse liberado del estrecho corsé, su respiración era jadeante y su voz sonaba ronca cuando dijo:

–Me gustaría quitarme el vestido antes de acostarme, si no te importa.

–¿Quieres que cierre los ojos?

–Sí, eso es precisamente lo que quiero.

–Muy bien –Zayed se acercó a la ventana y miró el cielo índigo cubierto de estrellas–. Como tú digas.

Con el pulso acelerado, Jane corrió al armario donde el personal de palacio debía de haber guardado su maleta. Pero, a pesar de una frenética búsqueda, no podía encontrar sus cosas. Solo había varios camisones de satén, tan delicados que casi temía romperlos.

–Mis camisones no están aquí.

–¿Te refieres a esas prendas anchas y horribles de algodón?

–¿Dónde están?

–Habrán sido remplazadas por prendas más apropiadas para una reina.

Indignada, Jane se dio la vuelta para mirarlo, pero ver su cuerpo a la luz de la luna la dejó sin aliento. La toalla blanca que colgaba indolente de sus caderas parecía ridículamente pequeña para lo que debía cubrir. Porque debía esconder la parte más secreta de su cuerpo en lugar de llamar la atención sobre ella de tal modo que no podía apartar los ojos, como Zayed había notado con su típica arrogancia.

–¡No tienes derecho a tirar mis cosas!

–Yo no he tenido nada que ver. Culpa a las damas de compañía –replicó él–. Seguramente les pareció inadmisible que honrases la cama de tu esposo con un atuendo tan poco favorecedor.

Jane miró al suelo para no ver su entrepierna.

–Entonces, ¿qué hago?

–De nuevo pones a prueba mi paciencia –protestó él–. Elige uno de los camisones comprados en París. La gratitud es opcional, pero no estaría de más.

Tomando uno de los camisones, Jane entró en el baño y se quitó el pesado vestido de novia. Se lavó la cara y se quitó las esmeraldas del pelo, pero cuando se miró al espejo tuvo que parpadear, sorprendida. Porque aquella era otra Jane. No era la de antes, la novia real de Kafalah. Aquella mujer era diferente.

Aterradoramente diferente.

Sus labios parecían hinchados y temblorosos, su pelo caía sobre el satén del camisón, que se ajustaba a la curva de sus pechos como una segunda piel. Tenía un aspecto femenino, pero también... lascivo. ¿Cómo era posible cuando Zayed no la había tocado? Pero sus ojos parecían inusualmente oscuros y el contorno de sus pezones se insinuaba de forma indecente bajo la tela.

¿Cómo podía entrar en el dormitorio y enfrentarse con él con ese aspecto, como si estuviera deseando que le hiciese el amor, cuando por dentro se sentía tan vulnerable y asustada?

Al recordar las facciones de halcón y el cuerpo medio desnudo su angustia dejó paso a un momento de curiosidad. ¿Qué pasaría si volviese al dormitorio y frotase su cuerpo contra el suyo, como un gato enredando su cola en los tobillos de alguien? ¿Y si empujaba su oscura cabeza hacia ella y exigía que la besara? ¿Lo haría?

Sospechaba que Zayed tenía una voluntad de hierro y que, por mucho que intentase tentarlo, si alguien como ella pudiese hacerlo, no conseguiría nada. La condición para aquel matrimonio era no mantener relaciones sexuales. ¿Por qué iba a saltarse esa cláusula en su primera noche? Si hubiera querido un matrimonio normal se habría casado con su amante americana o con alguien que lo atrajese.

Le ardían las mejillas mientras metía las manos bajo el grifo del agua fría, intentando controlar tan decadentes pensamientos. Tomando aire, se armó de valor mientras volvía al dormitorio. Pero no debería haberse preocupado porque Zayed ya no estaba donde lo había dejado, bañado por la luz de la luna.

Estaba en la cama, su duro cuerpo perfilado bajo la delgada sábana blanca, su oscura cabeza en contraste con la nívea almohada. Su poderoso torso subía y bajaba con cada respiración y Jane envidió su habilidad para dormir cuando ella estaba tan agitada.

Y entonces recordó algo. Algo que, con la emoción y los nervios del día, había olvidado. Recordó su mirada cuando entro en el salón del trono. No la expresión inicial de incredulidad, ni el breve destello de deseo, sino una mirada oscura y atormentada con un leve indicio de vulnerabilidad. Tal vez debería preguntarle por ello, pero no sabía si tenía derecho a hacerlo. No, en realidad, no. Zayed no era un rompecabezas que debiese montar. No era nada para ella, como ella no era nada para él.

Pero mientras se metía silenciosamente en la cama, a su lado, sospechó que le esperaba una noche inquieta, como él había predicho.

Capítulo 6

UN GRITO la despertó... un extraño gemido gutural que sonaba como si a alguien le estuviesen arrancando el alma del cuerpo. Jane se sentó en la cama y miró al hombre con el que se había casado unas horas antes. Zayed, bañado por la luz de la luna que entraba por la ventana, estaba rígido. En esa ocasión no le preocupó que estuviera medio desnudo... no, era el terror reflejado en su rostro lo que llamó su atención. No parecía despierto del todo, pero tampoco dormido mientras murmuraba cosas que no podía entender. Tragó saliva, angustiada, porque nunca hubiera imaginado que vería al jeque de Kafalah tan vulnerable o tan asustado.

Zayed estaba teniendo una pesadilla que retorcía su rostro hasta convertirlo en una máscara casi irreconocible y la compasión anuló cualquier otro pensamiento. Sabía que necesitaba algún consuelo para librarse de la pesadilla y lo abrazó con cuidado, apoyando la oscura cabeza sobre su hombro y sintiendo el ardiente roce de su aliento en el cuello.

–No pasa nada, Zayed –murmuró, acariciando su sedoso pelo–. No pasa nada.

¿Fueron sus palabras las que rompieron el hechizo? Porque la tensión que lo tenía aprisionado en sus garras desapareció de repente. Podía sentir que abandonaba su cuerpo como el aire de un globo y suspiró, aliviada. Quería seguir abrazándolo y acariciando su pelo, pero no se atrevía porque podría despertar... ¿y si la encontraba abrazándolo y la acusaba de intentar seducirlo cuando, supuestamente, debían mantener las distancias?

De modo que volvió a tumbarse a su lado y esperó que dijese algo, pero no dijo una palabra. Mejor que no hubiese despertado, pensó. El jeque Zayed az-Zawba no agradecería que lo hubiese visto en ese estado.

Seguía preguntándose qué habría provocado la pesadilla hasta que, por fin, la venció el sueño y cuando abrió los ojos vio a Zayed sentado en el banco de la ventana, sus ojos negros clavados en ella como si hubiera estado estudiándola mientras dormía.

¿Lo habría hecho?

Llevaba un ajustado pantalón de montar, botas altas y una camisa blanca. Era la primera vez que lo veía vestido al modo occidental y era una imagen turbadora. Masculino y moderno, tenía un aspecto intimidante y cien por cien sexy. Incluso ella, la virgen e indeseada Jane Smith, se daba cuenta de eso.

Pero ya no era Jane Smith, ¿no? Era Jane az-Zawba, la esposa del poderoso gobernante de Kafalah. Y Zayed era su marido, el hombre que había gritado por la noche y reposado en sus brazos mientras ella lo consolaba. ¿Mencionaría lo que había pasado? ¿Lo recordaría acaso?

–Buenos días, esposa mía. ¿Has dormido bien?

Jane sostuvo su mirada. Habían sido sinceros el uno con el otro desde el principio y, sin embargo, instintivamente reprimió las preguntas que quería hacer. Porque a nadie le gustaba recordar sus pesadillas. No era asunto suyo porque no era su esposa de verdad y no sería buena idea interrogarlo sobre sus terrores nocturnos. Si Zayed quería contarle la razón, lo haría.

–Regular. ¿Y tú?

–Bien –respondió él con cierta tensión, levantándose con la gracia de una pantera para tomar una bandeja con una cafetera de plata.

–Has estado montando a caballo –murmuró Jane, tragando saliva al ver cómo la camisa se pegaba a su ancha espalda.

Zayed asintió, notando la tensión sexual que se había filtrado en el ambiente... y algo más. Había vuelto a tener la pesadilla y, como siempre, por la mañana se sentía vacío y triste. Le asombraba no haber despertado a Jane.

–Sí, he estado montando a caballo. Pensé que, en estas circunstancias, era lo mejor. Así que he galopado por el desierto y he visto el sol pintando el paisaje del desierto con profundas sombras.

–Suena maravilloso.

Zayed notó la melancolía en su tono y se volvió para mirarla antes de servir el café.

–¿Tú montas a caballo?

–No, yo crecí a las afueras de Londres y allí no había caballos.

–Toma –dijo él, ofreciéndole una taza.

Jane la tomó, mirándolo con desacostumbrada burla.

–¿Siempre sirves el desayuno en la cama?

–No te acostumbres, es solo por hoy. Estabas dormida y no despertaste cuando te lo subió la doncella

–respondió él, esbozando una sonrisa–. Sin duda, eso alimentará los rumores de que la novia está debidamente saciada. Yo también debería comer algo, pero... –Zayed se encogió de hombros–. No tengo el apetito que debería tener un hombre después de su noche de bodas.

–Creo que ya lo has dejado claro –murmuró ella, tomando un sorbo de café–. No hace falta que insistas.

Zayed pensó en lo inteligente que era, en lo audaz. En cómo le hablaba, como no lo hacía nadie.

–Ah, Jane. A veces tienes la lengua tan afilada como las serpientes del desierto.

–Gracias por el cumplido.

–En realidad era un cumplido. ¿No te dije ayer que los enfrentamientos verbales podían ser muy estimulantes?

–No es mi intención estimularte.

–No, ya lo sé –asintió él, burlón–. Pero creo que es el momento de aclarar algo que solo he mencionado de paso.

–Puedes decir lo que quieras, sin rodeos.

–Muy bien. ¿Eres virgen?

Jane estuvo a punto de escupir el café, pero se contuvo a tiempo. Le temblaba la mano, de modo que dejó la taza sobre la bandeja.

–¿Qué derecho tienes a hacerme esa pregunta?

–Tú me acabas de decir que hable sin rodeos. Además, soy tu marido.

–No eres mi marido de verdad. Eres la mitad de un matrimonio sin sexo –Jane lo fulminó con la mirada–. ¿Por qué estás tan interesado?

–Por muchas razones. Natural curiosidad, para empezar. Tal vez porque nunca había pasado la noche con una virgen. Y, desde luego, nunca he tenido a ninguna –Zayed guiñó los ojos, como repasando su memoria–. O si lo he hecho, no sabía que lo fuera.

Jane arrugó la nariz.

–Eres repugnante.

–Eso ya me lo has dicho. Me han llamado muchas cosas en mi vida, pero nunca «repugnante».

–Porque nadie se atreve.

–Es posible –asintió él, mirándola de arriba abajo–. ¿Crees que es repugnante hablar de sexo? ¿O que te pregunte algo que ya sospecho? Que seas tan inocente es algo raro en nuestros días, pero inaudito en una mujer occidental de casi veintiocho años. Admito que me resulta difícil de creer, pero mi intención era que no te sintieras rara.

Ella sacudió la cabeza.

–No es eso lo que me enfada.

–¿Entonces?

–¡Tú! ¡Tu forma de hablar! Lo arrogante que eres. Decir que nunca «has tenido» una virgen, como si las mujeres fuesen una especie de deporte. ¿Por qué tienes que alardear siempre de eso?

–Era una simple afirmación, no quería alardear. Pero, evidentemente, hablar de sexo te molesta.

Tenía los ojos clavados en ella y, horrorizada, comprobó que la sábana se había deslizado hasta su cintura, revelando sus pechos cubiertos solo por el delicado satén del camisón. Unos pechos que parecían haber crecido en tamaño y sensibilidad. Notó el roce de sus erguidos pezones mientras tiraba de la sábana para volver a cubrirse, intentado ignorar la risa de Zayed.

–¿Estás intentando avergonzarme?

–No, Jane. Estaba intentando establecer un hecho y decidir qué haremos a partir de ahora, pero he descubierto que me encuentro en una ingrata situación.

Ella lo miró con recelo.

–¿Qué quieres decir?

Zayed se encogió de hombros.

–Este es un matrimonio de conveniencia y tú fuiste elegida específicamente porque no te encontraba atractiva.

–¿Y de repente me encuentras atractiva? –preguntó ella, sarcástica.

–La verdad es que sí. Inexplicable e inconvenientemente, de repente te encuentro atractiva –asintió él y luego dejó escapar un suspiro–. Tal vez ha sido verte con la corona de esmeraldas en el pelo o con ese vestido de novia que parecía pegarse a cada poro de tu piel.

–Qué superficial.

–Los hombres somos superficiales, Jane. Somos criaturas simples, programadas para responder a cualquier estímulo, por obvio que sea. El temblor de una boca de color cereza, el aleteo de unas pestañas, unos ojos oscurecidos con *kohl*. Un cuerpo en el que no te habías visto antes, de repente parece destacado por el pincel de un artista, revelando algo exquisito. Espectacular, francamente. Estabas preciosa con ese vestido y esa es la imagen que ha reemplazado a la que tenía de ti... la mujer con la ropa amorfa y el pelo sujeto en un moño –Zayed hizo un gesto de disculpa, pero el brillo de sus ojos no parecía en absoluto arrepentido–. Y ahora no puedo mirarte sin sentir un doloroso latido en la entrepierna. Es una sensación... muy incómoda.

Jane podría haberlo reprendido con las palabras más

fulminantes de su vocabulario, pero sospechaba que la reprimenda caería en saco roto. Porque Zayed no estaba buscando su aprobación.

Sencillamente, estaba diciendo lo que pensaba. Sí, lo hacía de una manera brutal. Desde luego, no había sacado las palabras de un manual diplomático. Hablaba de su reacción física como de algo casi anatómico y, en cierto modo, lo era. No debería sentirse halagada y sin embargo...

Jane se pasó la lengua por los labios. No pudo controlar un inesperado escalofrío de placer al saber que era capaz de despertar tal reacción en el jeque de Kafalah. Pensar que ella podía hacer que tal hombre la desease hacía que se sintiera poderosa y eso la llenaba de una confianza desconocida.

–Pues tendrás que acostumbrarte –le dijo.

–¿Cómo?

–Tú eres el experto. ¿Cómo sueles lidiar con ello? –le preguntó, percatándose demasiado tarde de que se había metido en una trampa.

Un brillo apareció en los ojos de Zayed.

–¿Mi esposa virgen me está haciendo esa pregunta?

–No, déjalo. Ha sido una tontería por mi parte. Buscar a una mujer, evidentemente. Solo que esta vez no puedes hacerlo porque has prometido no acostarte con nadie.

–A menudo el sexo es la solución, sí. Pero no siempre hay una mujer disponible... especialmente cuando estoy en el desierto.

De nuevo, Jane hizo una pregunta que no debería haber hecho, pero su corazón latía con tal fuerza que no podía pensar con claridad.

–¿Y entonces qué haces?

–Venga, piénsalo –se burló Zayed–. Me doy placer a mí mismo, por supuesto.

Jane tardó un momento en entender a qué se refería y, cuando así fue, se puso colorada hasta la raíz del pelo.

–Ah –murmuró, su recién adquirida confianza derrumbándose por completo.

Él la estudiaba como si no pudiera creer su reacción.

–Por favor, dime que no te niegas placer a ti misma. Aunque no hayas tenido nunca intimidad con un hombre.

El rubor se extendió por todo su cuerpo. Era doblemente humillante ser virgen y no haber experimentado nunca el placer sexual, especialmente viviendo en una sociedad bombardeada a todas horas por imágenes eróticas. Jane se mordió los labios. Sus razones eran complejas y probablemente anticuadas, pero a veces las circunstancias ayudaban a crear extrañas situaciones.

¿Cómo podía explicarle que siempre había sido la inteligente y feúcha Jane, que había cuidado de su madre enferma y de su desolado padre cuando ella murió? Había cocinado, limpiado e intentado controlar la naturaleza salvaje e imprevisible de su hermana mientras estudiaba sin parar para aprobar los exámenes. No había tenido tiempo para nada más, especialmente para los chicos que, seducidos por los encantos de Cleo, no la miraban siquiera.

Cuando fue a la universidad solo se relacionaba con profesores o compañeros de estudios en la biblioteca para capitalizar su intelecto. Su primera experiencia fue con aquel chico que no sabía besar, seguida de un par de citas con hombres que la dejaban totalmente fría. Tal vez preferir la fantasía de los reinos del desierto que estudiaba la había incapacitado para interesarse por los hombres.

Había sublimado su sexualidad durante tanto tiempo que no era capaz de sentir lo mismo que la mayoría de las mujeres. Nunca se había tocado a sí misma como Zayed daba a entender porque le había parecido... mal. Era como alguien que nunca hubiese probado el azúcar y no supiera que existía el sabor dulce.

–Eso no es asunto tuyo –respondió, a la defensiva.

–Yo creo que sí lo es. Estamos atrapados el uno con el otro durante seis meses y necesito saber si mi mujer ha tenido un orgasmo alguna vez.

Jane cerró los ojos, pensando que debía cambiar de tema antes de que la conversación fuese aún más humillante, pero ese razonamiento no era lo bastante poderoso para controlar el repentino vuelo de su imaginación. Pensó en los textos eróticos de Kafalah que había estudiado como si contuvieran fórmulas matemáticas. En sus preciosas ilustraciones había actos que eran totalmente extraños para ella. Cosas que nunca hubiera imaginado, pero que empezaban a invadir su mente porque podía imaginar a Zayed haciéndoselo a ella. La boca de Zayed sobre sus pechos, la cabeza de Zayed entre sus muslos...

Y necesitaba controlarse porque era una locura tener tales pensamientos. Necesitaba protegerse en todos los sentidos. No debería acostumbrarse a una intimidad que no podría mantener porque en unos meses sería historia y aquel hombre habría desaparecido de su vida para siempre.

–¿Debo recordarte los términos de nuestro acuerdo? Como este matrimonio solo durará seis meses y no habrá sexo entre nosotros, sugiero que no sigamos hablando del tema.

–¿Por qué no?

–Porque, a pesar de mi inexperiencia, creo que si seguimos hablando te sentirás más frustrado. ¿No te parece? Y ahora creo que es mejor que me dejes sola para que pueda vestirme.

Haciendo una mueca, Zayed se levantó. Su lógica lo enfurecía, pero tenía razón y, a regañadientes, debía admirar su sentido común. Aunque su cuerpo protestase al ser expulsado del dormitorio sin ver siquiera el destello de un rosado pezón.

–Muy bien, te dejo para que te vistas –asintió, claramente molesto–. Sin que tengas que esconderte para evitar que te vea desnuda. ¡Dios me libre de ver a mi mujer desnuda!

Zayed salió de la habitación y cerró de un portazo, sin saber por qué estaba tan enfadado. ¿Era porque Jane tenía una voluntad de hierro, tan fuerte como la suya? ¿Porque no se había dejado llevar por la tentación, aunque era evidente que se excitaba en su presencia? Probablemente. ¿O quizá porque tenía la sensación de que era ella quien daba las órdenes, cuando él no recibía órdenes de nadie? Había algo más, pero estaba demasiado exasperado como para entenderlo.

El sol estaba en lo alto del cielo y Zayed respiró profundamente el limpio aire del desierto, mirando los dorados muros del palacio y sus cúpulas de color cobalto. Era un día soleado y precioso, pero por dentro se sentía frío como el hielo y se preguntó si algún día estaría contento. No feliz porque él conocía sus limitaciones y la felicidad era algo a lo que nunca había aspirado. ¿Cómo podía esperar que su corazón se llenase de felicidad cuando lo habían arrancado de su pecho y aplastado en mil pedazos? Pero a veces se preguntaba si podría experimentar el gozo que disfrutaban otros hombres.

Su país era el cuarto exportador de petróleo mundial, no había habido guerras en la región durante casi treinta años y la adquisición de Dahabi Makaan aseguraría la paz hasta el final de su reinado y mucho después. De modo que debería estar contento, pero no lo estaba. ¿Y por qué era tan aparente aquel día? ¿Era porque las conmovedoras palabras de la boda habían abierto la puerta a sentimientos que había suprimido durante años? ¿O porque se encontraba en territorio desconocido, no solo porque era un hombre casado, sino porque tenía que lidiar con una mujer que no se parecía a ninguna otra?

Había intuido que Jane era virgen, pero no sabía de su ingenuidad con respecto al sexo. Si fuera una de esas mujeres cínicas con las que él solía relacionarse, las que harían cualquier cosa para acomodarse a sus deseos...

No, tal vez no. Era fácil aburrirse de mujeres así. A veces hacía demandas que eran desconsideradas, incluso crueles. Como si estuviera intentando ponerlas a prueba, empujarlas para ver lo lejos que estaban dispuestas a llegar para complacerlo. Y esas mujeres siempre obedecían sus demandas. ¿Jane tendría razón cuando decía que la gente se doblegaba ante él porque era un jeque? Sin embargo, ella no lo hacía. Le decía las cosas directamente y a la cara. Respondía como nadie lo había hecho antes y, aunque en cierto modo le molestaba, por otro lado estaba fascinado. Y eso era peligroso. Claro que debería estar agradecido porque lo último que hacía Jane era aburrirlo.

Cuando llegó a la habitación encontró a su mujer vestida con una de las túnicas que habían sido adquiridas antes de la boda. Además de las prendas tradicionales de Kafalah había vestidos de alta costura comprados en París y lo llenó de un inesperado placer ver que había elegido lo primero.

La túnica bordada, del color de las hojas nuevas, parecía acariciar su cuerpo, pero Zayed no dejaba de recordar la imagen de Jane en su noche de bodas, con aquel fino camisón que se pegaba a su piel...

Pero no quería pensar en eso y se concentró en el horrible moño.

–No, no, no –dijo, sacudiendo la cabeza–. Eso no puede ser.

La decepción nubló los ojos de Jane.

–Pensé que preferirías que llevase ropa típica del país.

–No me refiero a eso. Y para que lo sepas, la túnica te queda muy bien. Es tu pelo lo que me molesta.

Ella se llevó una mano al moño.

–¿Mi pelo?

–Desde luego. Mientras estés aquí llevarás el pelo suelto. Queremos que todos crean en esta unión y será más fácil si no parezco casado con una seria bibliotecaria.

–Pero soy una bibliotecaria, Zayed. O algo parecido.

–No, aquí no. A partir de ahora eres mi esposa y te vestirás para complacerme.

Jane abrió la boca para protestar, pero debió de ver la determinación en sus ojos porque se deshizo el moño y sacudió la cabeza para liberar su pelo mientras Zayed, como hipnotizado, miraba la cascada de pelo castaño claro acariciar su rostro ovalado.

Se preguntó qué haría si la besara. Aunque sabía lo que haría. Después de una inicial vacilación, sus labios se abrirían para dejar paso al empuje de su lengua...

Su imaginación empezó a volar. ¿Cuánto tiempo pasaría antes de que su conciencia la obligase a parar?, se preguntó. ¿Tiempo suficiente para explorar bajo la túnica y descubrir si sus bragas estaban húmedas? ¿Tiempo suficiente para quitárselas y darle placer con los dedos, frotando la húmeda hendidura hasta que gritase de placer?

Zayed tragó saliva.

No, no debía distraerse. Tenían un trato y debía cumplirlo. Además, ¿no le daría poder sobre ella dejar que el deseo se cociese a fuego lento? ¿Dejar que descubriese su indomable fuerza de voluntad al resistirse?

–Tenemos que pensar en nuestra luna de miel.

–Sí, claro. Es un honor acompañarte en esa visita de Estado a la embajada de Washington.

Zayed hizo una mueca al notar lo forzado de sus palabras. ¿Estaba decepcionada porque no la había llevado a una de las ciudades del desierto que seguramente quería visitar? Tal vez a la legendaria ciudad de Qaiyama, con sus antiguos monumentos y algunas de las obras de arte más antiguas del país. Pero no podía ser. No iba a arriesgarse a compartir con ella la romántica belleza de una tienda beduina cuando no le estaba permitido tocarla.

Una semana antes no le hubiera importado, pero en las últimas veinticuatro horas su flamante esposa había experimentado profundos cambios. Había visto su cuerpo como no lo había visto ningún otro hombre, había pasado la noche con ella sin tener relaciones sexuales... sin besarse siquiera. Había descubierto que lo desconocía todo sobre el sexo, pero sabía que su cuerpo joven y fértil anhelaba instintivamente que un hombre como él le diese placer porque el empuje de sus hormonas era más poderoso que el sentido común.

Aquel matrimonio de conveniencia no debía ser consumado, pero había otra razón por la que no quería estar a solas en el desierto con ella: que Jane era la clase de mujer que nunca se recuperaría de una aventura con un hombre como él. Sospechaba que se obsesionaría con él si le hacía el amor, y sería comprensible. En cierto modo, debía ser su hombre ideal, ya que era el gobernante de un país que adoraba, como una figura fantástica sacada de las páginas de los manuscritos que descifraba. La había transformado en la esposa de un jeque y eso debía de ser emocionante para una mujer inglesa. Si le permitiera ciertas intimidades... si descubriese de lo que era capaz en la cama, o fuera de ella, pasaría el resto de sus días con el corazón roto y él no le haría daño de ese modo.

Imbuido de una repentina satisfacción por su propia magnanimidad, Zayed sonrió.

–Sí, desde luego es un honor. Nuestra embajada en Washington está organizando los preparativos para la fiesta en la que te presentaremos ante el mundo. Y podremos disfrutar de la ciudad, que tiene mucho que ofrecer. ¿Has estado alguna vez en Washington?

Ella negó con la cabeza.

–Nunca he ido a Estados Unidos.

–Es un país precioso y habrá suficientes diversiones como para dejar de pensar en lo que no podemos tener y concentrarnos en lo que está a nuestro alcance. Hay algunos textos raros en los que podrías estar interesada mientras yo discuto la adquisición de Dahabi Makaan con mis asesores –le explicó Zayed–. Puede que no sea una luna de miel convencional, pero es lo único que puedo ofrecerte.

Capítulo 7

WASHINGTON le pareció más pequeño y menos impresionante de lo que había pensado, quizá porque estaba viendo la ciudad como la esposa de uno de los gobernantes más poderosos del mundo. Una alfombra roja los esperaba cuando llegaron al aeropuerto internacional de Dulles y una limusina los llevó directamente al hermoso edificio en la avenida de Massachusetts, conocida como «la milla de las embajadas», donde estaba la delegación de Kafalah.

La bienvenida que recibieron fue asombrosa, con todos los miembros de la delegación en fila para saludarlos. Jane se preguntó si algún día se acostumbraría a tanta pompa y ceremonia... antes de recordar que no sería necesario.

«No tendrás que acostumbrarte porque todo esto terminará antes de que te des cuenta».

Por fin, los llevaron a su suite. Era la primera vez que estaban solos en todo el día y Jane se quitó los zapatos y se dejó caer sobre la cama mientras Zayed se acercaba al escritorio. Se preguntó entonces cómo reaccionaría la gente si supieran la verdad sobre su matrimonio. Si la bienvenida hubiera sido tan entusiasta si supieran que no era más que una farsa, que el jeque de

Kafalah se tumbaría castamente al lado de su esposa esa noche y todas las noches que siguieran.

Pero era curioso cómo incluso las situaciones más extrañas se volvían normales después de un tiempo. Solo llevaban cuatro días como marido y mujer, pero ya le daba menos vergüenza estar a solas con Zayed. Como por un acuerdo tácito de no poner a prueba su resolución, se iban a la cama a diferentes horas y cuando despertaba por la mañana él ya se había ido.

Mientras Zayed galopaba por el desierto sobre uno de sus famosos sementales ella exploraba el palacio y pasaba horas en la biblioteca. Y por la tarde, cuando el sol empezaba a ponerse, disfrutaba de los hermosos jardines.

Aquello debía de ser un sueño hecho realidad, la culminación de sus esfuerzos académicos. Tener libre acceso a un sitio que había estudiado desde que tenía dieciocho años debería emocionarla, pero el espíritu humano a menudo desafiaba las expectativas y los manuscritos, las exquisitas estatuas y cuadros eran menos fascinantes que sus pensamientos sobre Zayed. Solía odiarlo, pero ya no era capaz de hacerlo. Tal vez sería más fácil si así fuera, pero los seres humanos eran irracionales y su inicial animosidad hacia él se había convertido en una complicada mezcla de sentimientos.

Se encontraba admirando su ética profesional, su mente despierta y la evidente dedicación a su gente. Tenía un conocimiento enciclopédico de su país y eso, para una investigadora como ella, era emocionante.

Pero seguía pensando que no lo conocía. Zayed seguía siendo un enigma y, sin embargo, bajo la implacable máscara que llevaba había algo oscuro y doloroso. Lo había descubierto durante su noche de bodas, cuando la terrible pesadilla había convertido su rostro en una mueca de terror. Y la noche anterior había vuelto a ocurrir.

Jane se mordió los labios. Había despertado al oírle gritar, murmurando palabras que no podía entender, su cuerpo bañado de sudor, los ojos abiertos mirando aquella cosa sin nombre que lo perseguía. Y, de nuevo, lo abrazó hasta que los demonios desaparecieron. Pero, por la mañana, su seria expresión le había advertido que mantuviese las distancias, de modo que no se había atrevido a preguntar. Se dijo a sí misma que no era asunto suyo, que no debería importarle que sufriera.

Pero le importaba.

Al recordar la desesperación que veía en sus ojos se le escapó un suspiro y Zayed, que estaba estudiando unos documentos, se volvió para mirarla.

–¿Ocurre algo?

Jane se encogió de hombros.

–No, es que estoy un poco nerviosa.

–¿Por qué?

«Por el dolor que escuché en tu voz anoche, por el desconsuelo que vi en tus ojos».

Pero se obligó a sí misma a ser pragmática, a ser la esposa que debía ser, la fría erudita que no pensaba o se comportaba como otras mujeres.

–Vamos, Zayed. Tú estás acostumbrado a todo esto, pero yo no –respondió, señalando las cortinas de color prímula y los exquisitos muebles con incrustaciones de madreperla.

Él se encogió de hombros.

–Pensé que te habías adaptado muy bien a la suntuosidad de mi palacio en Kafalah.

–Eso es diferente. He estudiado tanto el palacio que casi me parece como si hubiera estado allí antes. Aquí me siento como en un escenario y esta noche tendré que vestirme como una reina del desierto. Y todas las mujeres se preguntarán cómo he podido cazar a uno de los solteros más cotizados del mundo.

Él dejó a un lado los papeles.

–Jane, te he dicho que estás muy guapa desde la boda. Turbadoramente bella, así que no creo que nadie se haga esa pregunta. ¿Has visto que los periódicos te describen como «la joya de la corona de Kafalah»?

No, no los había visto, aunque había una pila de periódicos internacionales sobre el escritorio. No le importaban esos cumplidos, seguramente porque nadie se los había hecho antes, y se sentía vacía, insignificante.

¿Para qué estar preciosa cuando tu marido no podía tocarte? Cuando no *querría* tocarla. ¿Acudir a fiestas no los pondría inevitablemente bajo el microscopio? ¿No haría que la gente viera el insustancial vacío de su matrimonio? ¿No corrían el riesgo de convertirse en el hazmerreír de todos?

–La gente estará mirándonos, analizando nuestro lenguaje corporal. Todos sabrán que es un matrimonio falso.

–No lo sabrán.

–Lo imaginarán.

–¿Qué me estás pidiendo, Jane, que te bese en público, que roce tu cintura con los dedos en un gesto de falso afecto cada vez que una cámara apunte en nuestra dirección? ¿Debo tolerar un estado de insoportable frustración sexual, sabiendo que no puedo hacer nada cuando estemos solos? ¿Eso es lo que quieres?

–¿Falso afecto? –repitió ella, casi sin pensar.

Él hizo un gesto de impaciencia.

–La imagen que presentamos ante el mundo no es quien somos en realidad. No interpretaré el papel de novio enamorado porque no quiero arriesgarme al ridículo cuando nuestro matrimonio sea anulado. Solo puedo ser el hombre que soy.

Jane lo miró, entre la frustración y la admiración. Tantos rasgos de su carácter la atraían, aunque no quería que así fuera. Era tan orgulloso, tan indomable, tan seguro de sí mismo. Y, sin embargo, ¿no contradecían las pesadillas esa supuesta seguridad? Como si en el corazón de Zayed az-Zawba hubiese una terrible herida que intentaba esconder ante el mundo.

¿Era malo querer entender a la persona que había tras el rey con el que se había casado? Ella le contaba cosas sobre sí misma, pero él no había hecho lo propio.

–¿Te das cuenta de que prácticamente no sé nada sobre ti?

Él enarcó una ceja.

–Al contrario, sabes más que mucha gente. Lo sabes todo sobre mis antepasados y su historia.

–No me refería a eso y tú lo sabes. Hablo en serio, Zayed.

–Yo también. Absolutamente en serio. Yo no hablo sobre mí mismo, no desnudo mi alma ante nadie.

Jane sabía que no tenía sentido recordarle que era su esposa porque no lo era en realidad.

–¿Por qué no?

Zayed se encogió de hombros.

–Para una persona como yo no es fácil confiar en los

demás. Pertenecer a una casa real te hace diferente porque la gente te traiciona, te vende.

–¿No confías en mí?

Él se quedó callado un momento.

–En realidad, sí confío en ti. No sé por qué, pero así es –respondió por fin con un gesto impaciente–. Pero no tiene sentido contarte las cosas que sospecho quieres saber.

–¿Por qué no?

–Porque hacerlo sugeriría que quiero un grado más profundo de entendimiento entre nosotros y no es así.

Eso le dolió más de lo que debería, pero Jane sostuvo su mirada.

–O tal vez podría liberar algunos de los demonios que llevas dentro de ti.

Zayed se puso tenso.

–Yo no tengo demonios, Jane.

–¿Ah, no? ¿Ninguna de las mujeres con las que te has acostado te ha preguntado nunca por tus pesadillas? ¿Por qué gritas cosas incomprensibles en medio de la noche? Cosas que no entiendo, pero que hacen que se me hiele la sangre en las venas.

Zayed miró los ojos de color ámbar, intentando controlar su indignación. Creía que las pesadillas habían terminado. Había rezado para que así fuera, para que la pesadilla que tuvo en su noche de bodas fuese una aberración. La lógica le decía que pararían algún día, pero cada vez que volvían era peor que la vez anterior. El sitio al que lo llevaban era insoportable, los sentimientos que dejaban atrás cada vez más amargos. Tal vez porque a medida que pasaba el tiempo entendía mejor lo que había perdido y también cómo había fracasado...

–No –dijo con voz ronca–. No me preguntan y si se atreven a hacerlo las hago callar.

–Y ellas te dejan, por supuesto. Te dejan hacer todo lo que quieres porque no se atreven a disgustarte.

–Algo así –Zayed soltó una amarga carcajada–. Mientras a ti no te importa disgustarme, ¿verdad, Jane?

–No es mi objetivo, pero no veo por qué tendría que ir de puntillas contigo. Ya hay suficientes cosas prohibidas en nuestra vida sin añadir más, ¿no te parece? ¿Por qué no me lo cuentas?

Zayed se quedó en silencio; un silencio tan colosal como las olas de la playa de Azraq al-Haadi durante las vacaciones familiares, antes de que el mundo que había conocido fuese destruido una primavera, cuando el desierto estaba cubierto de flores silvestres.

Zayed la miró fijamente. ¿Por qué no la silenciaba con una seca orden? ¿Por qué la tentación de contárselo era como una cometa empujada por un fuerte vendaval? Tragó saliva, sabiendo que era un tabú porque jamás lo había hablado con nadie.

–Puedes hacer una pregunta, una nada más –le dijo–. ¿Qué es lo que quieres saber?

Jane lo pensó un momento.

–¿Qué provoca esas pesadillas?

Había subestimado su inteligencia. Qué torpe por su parte. Jane era lo bastante inteligente como para elegir la pregunta que abriría una telaraña de explicaciones. Pensó en inventar algo, pero no podía mentirle y no solo porque la suya fuese una relación basada en una brutal sinceridad desde el principio. Algo le decía que esos claros ojos de color ámbar verían que estaba mintiendo.

–Es una larga historia.

–Tenemos mucho tiempo, Zayed.

Estaban solos en la suite, algunos dirían atrapados. No tenía un vasto palacio a su disposición para escapar, ningún semental ensillado para olvidar sus emociones con una galopada por la arena del desierto.

Zayed se acercó a la ventana sobre los jardines de la embajada, bañados por la luz del sol. Jane estaba en lo cierto, tenían mucho tiempo. Casi demasiado.

–Sabes que mi madre murió cuando yo tenía siete años, ¿verdad?

Ella asintió con la cabeza.

–Sé que murió en un accidente.

Una extraña risa escapó de su garganta.

–Podrías llamarlo así. Supongo que conocerás algunos hechos, otros no porque lo que pasó no está documentando en ningún libro.

–¿Por qué no?

Zayed se daba cuenta de que para alguien como ella, que había pasado su vida estudiando el reino de Kafalah con histórica fidelidad, esconder la verdad sería el peor de los crímenes. Pero aquello no tenía nada que ver con su trabajo. Era estrictamente personal.

–Si te lo cuento, no podrás compartir esta información con nadie. Te lo cuento como mi esposa, no como historiadora, ¿lo entiendes?

–Sí, lo entiendo.

Él tomo aire.

–¿Sabes que mi madre estaba prometida con el rey de Mazbalah?

–Sí, claro.

Habían estado prometidos desde que eran niños en

lo que veían como una unificación política de dos poderosas dinastías. Las dos familias deseaban ese compromiso, algunos incluso presionaron para que se casaran. Era una unión muy deseada, pero justo antes de la boda ella conoció a mi padre en un evento oficial y...

Las palabras escapaban a regañadientes de sus labios porque odiaba pronunciarlas. Las odiaba porque representaban todo aquello que la mayoría de la gente anhelaba, algo que tenía el poder de provocar el mayor caos.

–Se enamoraron –siguió, haciendo una mueca–. Aunque el padre de mi madre odiaba la dinastía de Kafalah y estaba dispuesto a casarla con la familia Al-Haadi, eso no los detuvo. Actuaron impetuosamente, algunos dirían que sin pensar. La mañana de la boda, mis padres se fugaron.

–Eso lo sabía –dijo Jane en voz baja–. Pero pensé que el despechado prometido había bendecido a la pareja.

–Inicialmente lo hizo. Fue descrito por los cortesanos como un gesto de magnanimidad, pero solo lo había hecho para guardar las apariencias. Que mi madre lo dejase plantado había sido para él una monumental humillación.

Quería decirle que no iba a seguir respondiendo a sus preguntas, pero al mismo tiempo quería besarla, como si un beso apasionado y castigador tuviese el poder de borrar los amargos recuerdos.

Nunca la habían besado, pensó entonces. Qué idiota era. ¿Por qué no había hecho eso en lugar de volver a un pasado que llevaba años intentando dejar atrás? Podría haberla distraído con oleadas de placer en lugar de excitar su mente con hechos históricos. Pero ya no podía dar marcha atrás. Era como si hubiese quitado el corcho de una botella que hubiera estado fermentando durante décadas, para descubrir que el vino era insoportablemente agrio.

–Mi madre fue aceptada enseguida por la gente de Kafalah y durante siete años vivimos como una familia normal –siguió, con voz ronca–. Aunque fuese una familia real. La única pena de mis padres era no haber tenido familia numerosa. Yo fui su único hijo.

–¿Te sentías solo? –preguntó Jane.

Él echó la cabeza hacia atrás. No estaba preparado para una pregunta que nadie le había hecho nunca. Sí, se había sentido solo, aunque había incontables distracciones para el querido hijo de la pareja real: vacaciones, caballos, juguetes y los niños de los nobles locales para jugar en cualquier momento. Pero se había sentido fuera del poderoso círculo de la pasión de sus padres. Su amor era tan profundo que a veces se sentía como un extraño. Y la fuerza de esa pasión lo había hecho recelar del amor porque odiaba cómo arrasaba todo a su paso.

–A veces –admitió.

–Sigue –murmuró Jane.

Él sacudió la cabeza, como para aclarar sus ideas.

–Cuando tenía siete años, mi padre tuvo que ir a Maraban en un viaje de negocios y mi madre me llevó a una de nuestras casas en las montañas, al oeste de Kafalah. Recuerdo que fueron unas vacaciones perfectas porque era una primavera preciosa y el campo estaba cubierto de flores silvestres. Por las mañana solía llevarme a pescar a un arroyo y después merendábamos sobre la hierba. Era un sitio tan remoto, tan tranquilo, que llevamos menos guardaespaldas de lo habitual –Zayed apretó los labios, perdido en el doloroso recuerdo y preguntándose por qué habían sido tan ingenuos de creerse a salvo.

–¿Zayed?

Él se obligó a continuar porque había dado su palabra, pero era algo más que eso. De repente, quería exponer ese veneno. Quería hablarle de su sentimiento de culpa de su vergüenza. La amarga vergüenza que no lo dejaría nunca.

¿Lo despreciaría Jane por lo que había hecho tanto como se despreciaba a sí mismo?

–El despechado rey fue a buscar a mi madre. Su ira se había ido gestando durante esos años... había buscado el momento perfecto para recuperarla y lo había encontrado. Ella lo vio a lo lejos, dirigiéndose a caballo hacia nosotros con sus hombres, y vi miedo en sus ojos, un miedo que nunca antes había visto. Mi madre llamó a los guardias, pero no apareció ninguno. Entonces clavó los dedos en mi brazo mientras susurraba que debía esconderme y no hacer ningún ruido. Que debía estar en silencio porque mi vida dependía de ello. Nunca olvidaré el pánico que había en su voz o la urgencia con la que me habló. Yo adoraba a mi madre y era demasiado joven como para entender lo que pasaba, así que hice lo que me pidió. Me escondí en la oscura grieta de una cueva y esperé –Zayed apretó los puños y miró sus manos como si fueran las de otra persona–. Y entonces llegaron esos hombres. Oí las atroces maldiciones que lanzaban mientras se la llevaban, pero ella no protestó. Fue con ellos por su propia voluntad, sabiendo cuál sería su destino –siguió con voz ronca–. Cuando los caballos se alejaron por la montaña corrí en busca de los guardias... –Zayed tuvo que parar un momento para controlar el dolor que atenazaba su corazón.

–¿Qué pasó?

–Los encontré mutilados –siguió él con voz ronca, temblando de rabia–. Aún con vida, pero con las piernas y los brazos rotos para que no pudieran seguirlos. Entonces no había móviles, claro. No había forma de comunicarse inmediatamente con el palacio. Estábamos aislados en medio de la montaña...

–¿Y qué hiciste?

–Subí a un caballo y galopé hasta el pueblo más próximo. Me perdí varias veces en el camino y casi estaba amaneciendo cuando llegué. Entonces se desató el caos. Mi padre volvió de Maraban y organizó varios grupos de hombres para rescatar a mi madre.

Jane cerró los ojos. Conocía el final de la historia porque estaba bien documentado. El cadáver de la madre de Zayed había sido encontrado poco después. Una enorme roca había caído sobre ella durante el largo viaje de vuelta a Mazbalah, aplastando su cráneo, pero hasta ese momento no había sabido la razón. El secuestro no aparecía en ningún documento y la vaguedad de los hechos había permitido que pareciese un desafortunado accidente. Angustiada, miró a Zayed, a contraluz frente a la ventana, su rostro desfigurado por el dolor.

–¿Qué hizo tu padre? –susurró.

Él dejó escapar un largo suspiro.

–Retó al rey a un duelo y le infligió una herida mortal en el corazón, pero durante el duelo también él fue mortalmente herido. Lo llevaron de vuelta al palacio y pasé las últimas horas a su lado.

–Ay, Zayed –Jane se llevó una mano al corazón al imaginar la escena. Un niño de siete años, profundamente herido por la muerte de su madre, viendo morir a su padre delante de él. Qué terrible pérdida, que insoportable dolor a tan temprana edad. Instintivamente, se levantó para consolarlo y, cuando llegó a su lado, pudo ver una indescriptible tristeza en sus ojos negros.

–Lo siento.

Él inclinó la cabeza en un gesto de agradecimiento.

–¿Quieres contarme lo que pasó después?

Él lo pensó un momento y luego se aclaró la garganta.

–Mi padre me dijo que lo que estaba hecho, hecho estaba y que ese sería el final. Me hizo prometer que no buscaría venganza, ni arriesgaría mi vida por una causa perdida. Me dijo que le rompería el corazón a mi madre si lo hiciera y que ya nada podría devolvérmela. Una de las razones por las que ocultamos las circunstancias de su muerte era impedir que las facciones rivales de cada país provocasen una guerra.

–Y fuiste educado por cortesanos como el monarca más joven de la región –dijo ella.

–Así es, no tenía a nadie más. Mi abuelo materno rompió toda relación con Kafalah. Mi madre había sido la niña de sus ojos y culpaba a la familia Az-Zawba por interferir con su destino y provocar su muerte... y tal vez tenía razón. Si ella no hubiera hecho caso a su corazón ahora estaría viva. Si no se hubiera casado con mi padre seguramente habría vivido muchos años...

–No puedes estar seguro de eso.

–¿No puedo? –replicó él con tono fiero–. Tal vez hubiera vivido si yo no me hubiera escondido. Si hubiera ido tras ellos o retado al rey...

–¿Qué? ¿Un niño de siete años retando a un hombre adulto dispuesto a secuestrar a tu madre?

–¿Por qué no? Podría haber tocado su conciencia, hacerle ver que iba a dejar a un hijo sin su madre. Pero en lugar de eso me escondí como un cobarde. Me escondí durante mucho tiempo, paralizado de miedo.

–Hiciste lo que tu madre te había pedido –insistió ella–. Hiciste lo que cualquier madre hubiera querido para su hijo, seguir vivo.

Zayed soltó una amarga carcajada.

–Sí, he vivido para recordar lo que hice.

Ella negó con la cabeza.

–No, Zayed. En el fondo, tú mismo tienes que saber que eso no es verdad. Como debes de saber que tu abuelo quiso hacer las paces al dejarte Dahabi Makaan en su testamento. Y tú ya eras lo bastante mayor como para aceptar la oferta y apretar su mano en su lecho de muerte. ¿No puedes concentrarte en eso, en lo bueno que ha salido de tan horrible situación? Porque eso es lo único que podemos hacer en la vida, aprovechar lo mejor dentro de lo malo.

Zayed asintió, pensando que nunca le había parecido más hermosa. Tal vez porque sus ojos brillaban llenos de fervor, como si su convicción tuviese la habilidad de curar un alma atormentada. ¿Y era así? ¿Contarle la historia habría disminuido su poder sobre él? Zayed se preguntó si sería cierto eso de que un problema compartido era un problema a medias.

Había hecho lo que su madre le pidió. Había hecho

lo que le pidió su padre. Cuando se hizo adulto no tenía ningún deseo de venganza, ningún deseo de provocar una guerra que sesgara vidas inocentes. Había cumplido sus promesas y que eso hubiera dejado un espacio vacío donde debería estar su corazón no era ninguna sorpresa.

–Te repito que no debes compartir esto con nadie –le dijo con toda seriedad–. No quiero que escribas un libro sobre el tema después de que nos divorciemos.

–Yo no haría eso –respondió ella–. Has dicho que confiabas en mí.

–Y confío en ti.

Pero en ese momento sentía algo más que confianza. Sentía deseo. Odiaba notarlo recorriendo sus venas, odiaba cómo espesaba su sangre y endurecía su entrepierna mientras miraba a su esposa. El sol de otoño hacía que su pelo brillase como el oro y quería rozarlo con los labios. Y mucho más.

¿No podía tomarla entre sus brazos? ¿Inclinar la cabeza y perderse en la suavidad de sus labios? ¿Besarla hasta que la tuviera restregándose contra su cuerpo, pidiendo más? Zayed tuvo que tragar saliva. Lo más raro de todo era que él no solía besar. Era un gesto demasiado íntimo que creaba expectativas poco realistas en las mujeres. Besarlas hacía que creyesen en la fantasía del amor, algo que él era incapaz de sentir. Prefería desnudar sus pechos o meter la cabeza entre los muslos de una mujer y lamerla hasta que terminaba en tu boca, con ese sabor indefinible.

Sin embargo, sabía que Jane también lo deseaba. Podía sentir el deseo que irradiaba su voluptuoso cuerpo y la tentación se volvió irresistible. Vio que los ojos de color ámbar se oscurecían, como anticipando lo que estaba a punto de hacer. Y nunca en toda su vida había deseado más a una mujer.

Hasta que recordó su acuerdo.

La única forma de anular aquel matrimonio era no consumarlo y eso era lo que quería.

No había ninguna otra alternativa.

–Ha sido un viaje muy largo y supongo que querrás darte una ducha –sugirió, viendo que ella daba un respingo, como si algo la hubiese picado–. Yo tengo que estudiar estos documentos para la recepción de esta noche –añadió, antes de volver al escritorio–. Y tú tienes que arreglarte para la fiesta, ¿no?

Capítulo 8

JANE se sentía dolida, aunque no debería. Había intentado racionalizar la situación, algo que solía ser tan fácil para ella como respirar, pero le resultaba imposible. Zayed se había apartado después de contarle el terrible secreto sobre la muerte de su madre. Se había mostrado frío cuando ella podría haberle ofrecido consuelo.

¿Pero por qué quería que buscara su consuelo cuando había dicho explícitamente que no lo deseaba? Le había hablado de su pasado porque ella le había preguntado por las pesadillas, nada más.

Y no la había besado, aunque el brillo de sus ojos sugería que quería hacerlo. ¿Pero por qué iba a besarla? Debería alegrarse de que confiase en ella lo suficiente como para contarle lo que le había pasado a su madre. Su corazón debería estar lleno de empatía al conocer esa terrible experiencia.

Y así era. Rebosaba tristeza por lo que Zayed había sufrido. Quería abrazarlo, pero no se atrevía porque el deseo que sentía por él crecía con cada segundo que pasaba en su compañía.

Podía sentirlo en el peso de sus pechos mientras se enjabonaba en la ducha y en aquel extraño cosquilleo entre los muslos. Dejándose llevar por un loco impulso, pasó un dedo de forma experimental entre sus piernas y tembló antes de apartarlo de inmediato, asustada por la intensidad de su reacción. ¿Por qué en ese momento?, se preguntó, angustiada. ¿Por qué su cuerpo parecía despertar a la vida cuando estaba atrapada con un hombre que no podía tocarla?

Envolviéndose en un níveo albornoz, entró en el vestidor y estudió la selección de ropa que habían llevado desde Kafalah. Túnicas exquisitamente bordadas con pantalones a juego y también vestidos de alta costura diseñados exclusivamente para ella: faldas lápiz, blusas de satén y encaje, zapatos de tacón altísimo y medias de seda, aunque por el momento no había estrenado nada. Desde que se casaron vestía como una mujer de Kafalah, pero esa noche no se sentía como tal. Se sentía como una extraña, una mujer que no tenía sitio en aquel nuevo mundo.

¿Era por eso por lo que descartó las túnicas y se puso un largo vestido negro de lentejuelas, lo último en glamour y sofisticación? Jane dio un paso atrás para mirarse al espejo, alarmada al ver que la tela se pegaba a cada poro de su piel, levantando y separando sus pechos. Era como si, por arte de magia, hubiera perdido cinco kilos. Se dejó el pelo suelto, sujeto con dos broches de diamantes que pensó que a Zayed le gustarían.

No lo oyó entrar en el vestidor y, por una vez, no se fijó en la toalla que cubría su entrepierna porque se había acostumbrado. Daba igual lo grande que fuese la toalla, nunca parecía suficiente para cubrir a Zayed.

Pero esa noche era el brillo de sus ojos lo que llamaba su atención. Era como una llama negra que se la tragaba, un fuego de ébano que parecía crecer en intensidad. Esperó que dijese algo, pero no lo hizo y su silencio la hizo sentir insegura.

–¿No te gusta?

–¿Que si no me gusta? –Zayed soltó una extraña carajada–. ¿Cómo se te ocurre pensar eso?

Jane se encogió de hombros.

–No has dicho nada y no sé lo que estás pensando.

–Mejor porque no quiero que leas mis pensamientos en este momento –respondió él–. Pero vas a hacer que todos los hombres en la recepción quieran poseerte.

Ella levantó una mano para cubrir su escote.

–No era lo que pretendía –dijo con voz ronca–. ¿Crees que es demasiado?

–No, en absoluto. El vestido es precioso, pero... te da un aspecto tan sexy. Tal vez porque eres una extraña al sexo y yo soy el único que sabe eso. O tal vez sea el contraste entre lo puro y lo provocativo lo que hace que sea tan cautivador –Zayed se aclaró la garganta–. Y como yo estoy a punto de vestirme, supongo que querrás darte la vuelta como siempre. A menos que quieras ver mi cuerpo desnudo, que en este momento se encuentra en un incómodo estado de excitación.

Jane contuvo el aliento. ¿No era una locura que sintiera la tentación de ponerlo en evidencia? Su natural curiosidad crecía en tándem con la frustración porque le gustaría mirar su cuerpo desnudo con gesto despreocupado. ¿No había empezado a preguntarse cómo sería tener un orgasmo? ¿Si en su rostro aparecería la expresión de gozo de las mujeres en los grabados eróticos de Kafalah?

Se le hizo un nudo en la garganta. Era como si su matrimonio con Zayed la hiciese ver todo lo que se había perdido. Empezaba a pensar que, si no tenía cuidado, se encerraría hasta que fuese demasiado tarde para disfrutar de los placeres de la vida. Perdería su juventud y sus ganas de vivir para enterrarse en los libros de texto, pero quizá un día se miraría al espejo y vería arrugas en su rostro y un cuerpo marchito que ningún hombre querría acariciar.

Suspirando, se acercó a la ventana para mirar a un jardinero que limpiaba las hojas caídas y, cuando se dio la vuelta, Zayed ya estaba vestido.

–Llevas un traje de chaqueta –dijo, sorprendida.

–Como tú has elegido un atuendo occidental, he decidido que fuéramos iguales.

–¿Aunque no lo seamos?

Él enarcó una ceja mientras abría una caja de piel que tenía en la mano.

–Creo que deberíamos mostrar un frente unido en nuestro primer evento social como marido y mujer, y aquí tengo algo que demostrará lo importante que eres en mi vida.

Cuando sacó un colgante de su cama de terciopelo y lo puso bajo la lámpara, Jane tuvo que parpadear. Colgando de una brillante gargantilla negra había un diamante en forma de pera, tan grande como una lágrima gigante. Jane pensó que nunca había visto nada tan hermoso.

–¡*La estrella de Kafalah*! –exclamó.

–¿La conoces?

Ella tragó saliva, tan nerviosa que apenas podía hablar.

–Claro que sí. Solo la había visto en cuadros y fotografías, pero sé que lleva siglos en tu familia. No sabía que la hubieras traído –Jane se llevó una mano al cuello–. Es tan valiosa que no sé si puedo ponérmela.

–¿Por qué no? –Zayed se colocó a su espalda para ponérselo y, de nuevo, ella fue consciente del roce de sus dedos–. Todas las reinas de Kafalah han llevado *La estrella* en su presentación formal.

–Es exquisito –dijo Jane en voz baja. Pero mientras sus dedos rozaban la piedra se encontró pensando en lo superficiales que podían ser las mujeres. Incluso ella, con sus elevados ideales, se dejaba deslumbrar por el brillo de un diamante.

Sus ojos se encontraron en el espejo. Cuando la miraba de ese modo se le encogía el estómago. Hacía que desease apoyarse en él para sentir el calor que irradiaba su cuerpo, pero Zayed ya estaba abriendo la puerta con un gesto imperioso.

–Vamos.

Mientras bajaban por la escalera los invitados aplaudieron y, cuando llegaron abajo, los músicos empezaron a tocar los primeros acordes del himno nacional de Kafalah.

Jane conoció a mucha gente esa noche, pero en lo único que podía pensar era en el oscuro rey que estaba a su lado. Un hombre que, a pesar de las confidencias que le había hecho, parecía tan frío y distante como un extraño. ¿Y no era una locura que esas confidencias la hicieran desear ganarse su afecto, aunque sabía que no iba a conseguirlo?

Intentó apartarlo de su mente mientras charlaba con miembros de la alta sociedad de Washington. Le dolía la cara de sonreír y esperaba estar haciendo una interpretación convincente como consorte del monarca, pero necesitaba escapar un momento y se disculpó para ir al lavabo. Apoyada en una pared de mármol, intentaba respirar cuando escuchó una voz familiar tras ella.

–¿Jane?

Qué extraño escuchar su nombre cuando todos la llamaban Alteza. Jane se volvió y vio a un hombre con gafas mirándola con una sonrisa en los labios.

–¿No te acuerdas de mí?

Y, de repente, Jane recordó. Era David Travers, que había estudiado con ella y compartía su pasión por Oriente Medio. Era un empollón como ella y habían pasado muchas horas en la biblioteca antes de perder el contacto cuando terminaron la carrera.

–Claro que me acuerdo de ti. Es que me parece tan raro verte aquí.

–No tan raro como ver a la estudiosa Jane Smith vestida como... en fin, como una reina.

Ella sonrió.

–Me alegro de volver a verte, David. ¿Vives aquí?

–Trabajo para el Ministerio de Asuntos Exteriores británico y pensé que todo me iba de maravilla, pero debo decir que tú has superado mis expectativas. La esposa de un jeque, ni más menos –respondió él con una agradable sonrisa–. ¿Estás contenta, Jane?

Solo alguien que te había conocido cuando no tenías nada podía hacer tan cándida pregunta y, por un momento, Jane no supo cómo responder. ¿Podría leer la respuesta en sus ojos? ¿Podría convencerlo de que era feliz?

–Estoy bien –se limitó a decir. Porque no podía contarle que se sentía insegura sobre su futuro y sus sentimientos por el hombre con el que se había casado. Sentimientos que terminarían por romperle el corazón si no tenía cuidado. De modo que intentó sonreír como había sonreído durante toda la noche–. Estoy muy bien.

–Estás guapísima, casi no te había reconocido. Aunque te veo un poco pálida. ¿Quieres que salgamos un momento al balcón? Hace una noche muy agradable y la vista es preciosa desde allí.

Desde el otro lado del salón de baile, Zayed vio a Jane charlando con un hombre al que no conocía y se quedó sorprendido por la inexplicable punzada de celos que experimentó. Inexplicable porque él no sentía celos. Como no desnudaba su alma ni hablaba del pasado. Pero había hecho todo eso, ¿no? Había dejado que su esposa viera al hombre que había tras la fachada real y lamentaba amargamente haberlo hecho.

Podía verla en el balcón, el viento moviendo su pelo mientras el extraño de las gafas se acercaba un poco más. Zayed enarcó una ceja, un gesto que fue captado inmediatamente por uno de sus ayudantes, que se acercó para decirle que el hombre de las gafas era un diplomático británico.

–¿Quiere que lo aleje de la reina, Alteza?

–No quiero provocar una escena –respondió Zayed–. Además, estoy un poco cansado y nos retiraremos en unos minutos.

Pero estaba programado para una vida de protocolo y se obligó a sí mismo a soportar el ritual que se esperaba de él. Un ritual tan familiar que podría hacerlo hasta dormido. Había estado en cientos de eventos como aquel antes de casarse. Aunque el cambio en su estado civil no parecía disuadir a las guapas herederas que se acercaban, dando a entender que estaban dispuestas a disfrutar de su cuerpo entre las sábanas. Pero Zayed no tenía apetito para descaradas rubias de pechos falsos. Lo único que le interesaba era su virginal esposa y el hombre con el que hablaba.

Por fin, no pudo soportarlo más y se dirigió al balcón. El brillo de *La estrella de Kafalah* rivalizaba con las estrellas en el cielo, pero él solo podía mirar su cuerpo envuelto en aquel vestido. Y, de repente, la convicción de que no tenía celos de aquel hombre fue derrotada por un deseo posesivo que lo sorprendió.

¿Era sentimiento de culpa lo que vio en su rostro cuando giró la cabeza?, se preguntó. ¿Por qué si no se mordería los labios y dejaría de hablar en cuanto apareció?

–Zayed, quiero presentarte a...

–Nos vamos, Jane.

–Pero...

–Ahora mismo –la interrumpió él. Notó el gesto de sorpresa de su acompañante, pero le daba igual estar saltándose el maldito protocolo.

Zayed oyó que le decía algo al hombre, pero su corazón palpitaba con tal fuerza que no lo entendió. No dijo nada mientras se despedían del embajador, ni mientras subían por la escalera en silencio, pero en cuanto cerró la puerta de la suite se volvió hacia ella, incapaz de controlar su indignación.

–¿A qué estás jugando? ¿Por qué te has comportado de esa forma tan inapropiada?

Pero si esperaba un gesto de arrepentimiento se llevó una decepción porque Jane lo miraba con un brillo de ira en los ojos.

–¡Yo podría preguntarte lo mismo! No puedo creer

que hayas actuado así. Sacarme del salón como si fueras un neandertal. Has sido un grosero...

–Por favor, no pretendas darme lecciones de cortesía –la interrumpió él con tono helado–. ¿Por qué te has escabullido para estar a solas con un hombre al que no conozco?

–¿Y de quién es la culpa? No estabas a mi lado para que pudiera presentarte, ¿no?

–Esa no es la cuestión.

–Entonces, ¿cuál es la cuestión? ¿Preferirías elegir a las personas con las que debo hablar mientras dure este supuesto matrimonio?

–¿Qué estabas contándole que requería tanto secreto?

–No es por eso por lo que salimos al balcón.

–Quiero saberlo, Jane.

Ella levantó la barbilla en un gesto desafiante.

–David es un viejo amigo de la universidad y tenemos mucho en común, sobre todo nuestro amor por la literatura antigua. Solíamos estudiar juntos en la biblioteca y es una persona muy agradable. Estoy segura de que en un futuro podríamos volver a ser amigos.

–¿Amigos? –repitió él–. ¿O algo más que amigos?

–¿Quién sabe? –respondió Jane, encogiéndose de hombros–. ¿Quién sabe lo que me deparará el futuro cuando ya no sea tu mujer?

–¿Le has contado la verdad sobre nuestro matrimonio? ¿Le has hablado de nuestras castas noches y próximo divorcio para que empiece a contar los días hasta que te metas en su cama?

–¡Claro que no! Pero charlar con él me ha ayudado a tomar una decisión que ha estado dando vueltas en mi cabeza desde que acepté ser tu esposa –Jane tomó aire–. Me he dado cuenta de que no puedo seguir siendo un fantasma y cuando esto termine quiero empezar a vivir. Quiero ser una mujer de verdad.

–¿Eso es un eufemismo para el sexo?

–¿Y por qué no? –respondió ella levantando la barbilla–. Dudo que tú vayas a permanecer casto cuando nos hayamos divorciado y yo no pienso seguir siendo virgen durante toda mi vida.

Zayed oía el sonido de una respiración agitada y se dio cuenta de que era la suya, como se dio cuenta de que la erección que presionaba contra sus pantalones era más dura que nunca. Sabía que no debería hacer lo que estaba a punto de hacer, pero no podía evitarlo. Cuando la tomó entre sus brazos vio que sus ojos se oscurecían y vio también el frenético pulso que latía en sus sienes cuando rozó uno de los broches de diamantes que sujetaban su pelo.

–¿Qué haces? –murmuró ella, pasándose la lengua por los labios como sin darse cuenta.

–Lo que debería haber hecho hace semanas –respondió Zayed, inclinando la cabeza para apoderarse de su boca.

Jane se quedó sin aliento cuando empezó a besarla. Después de semanas de frustración lo único que experimentaba era una inmensa alegría porque había soñado con aquel momento. Noche y día, en los momentos más inapropiados, se había preguntado cómo sería estar entre los brazos de Zayed az-Zawba.

Había imaginado que el beso sería brutal, duro y posesivo como él, que intentaría someterla, mostrándole quién mandaba allí y quién tenía experiencia. Pero se había equivocado porque no era así. Era un roce hipnotizador, una lenta y sensual invitación que hacía que le diese vueltas la cabeza.

–Zayed... –musitó mientras se agarraba a sus hombros como si temiera perder el equilibrio.

–¿Has disfrutado, mi reina?

¿Para qué iba a mentir? ¿Por qué no enfrentarse con sus sentimientos?

–Más de lo que puedas imaginar –respondió.

Vio un brillo de fuego en los ojos oscuros mientras volvía a apoderarse de su boca, rozando sus dientes con la lengua hasta que abrió los labios. Y, de repente, estaba en un territorio totalmente diferente. Era un títere y él su titiritero, provocando una reacción de la que no se creía capaz. Sin pensar, empujaba las caderas hacia delante, como haciendo una antigua danza que conocía sin que se la hubieran enseñado.

Zayed dejó escapar un gruñido antes de tomarla en brazos para llevarla a la cama. Jane vio la tensión en sus facciones mientras la dejaba sobre el edredón y, de repente, su cuerpo parecía demasiado grande para el vestido. Casi temía que sus pechos escaparan del escote.

Pero aquello no era parte del trato.

–Espera... –empezó a decir, conteniendo un suspiro de placer cuando pasó los dedos sobre la tela del escote, haciendo que sus pezones se levantasen–. No debemos...

–¿No debemos qué?

Zayed siguió acariciándola y Jane tenía que hacer un esfuerzo para no cerrar los ojos y dejarse llevar.

–No debemos hacer el amor. Tú lo sabes igual que yo –le advirtió mientras él levantaba su vestido–. No debemos... –le costaba terminar la frase cuando la acariciaba de ese modo– consumar el matrimonio.

–Y no vamos a hacerlo.

–¿Entonces...? –Jane tembló cuando empezó a hacer círculos con el dedo sobre una de las medias–. ¿Qué vas a hacer?

–¿Por qué no dejas que yo me encargue de esto?

–¿De qué?

–Podemos darnos placer el uno al otro sin penetración –respondió Zayed con voz ronca mientras seguía explorando la banda de delicado encaje de las medias–. Hay muchas cosas que podemos hacer sin atravesar esa barrera.

Jane tragó saliva. Una campanita de alarma en su aturdido cerebro le decía que aquello no estaba bien, pero las sensaciones eran demasiado poderosas.

–¿Estás seguro de que... podemos hacerlo?

–Si el rey lo decreta, está permitido.

–Qué arrogante.

–Nunca he dicho que no sea arrogante. Como nunca he prometido no saltarme las reglas para que se ajusten a mis necesidades –Zayed inclinó la cabeza sobre ella para que sintiera el calor de su aliento–. Cumpliremos el acuerdo, aunque no al pie de la letra.

–Zayed... –Jane no podía pensar, especialmente cuando notó el roce de sus dedos por encima de las bragas.

–¿Quieres saber lo que es un orgasmo? –le preguntó él–. ¿Quieres terminar sobre mis dedos y experimentar un gozo como ningún otro?

–Yo... –musitó ella, con el corazón a punto de explotar al sentir la presión de sus dedos sobre la húmeda tela.

–Has leído los textos eróticos de Kafalah y sabes que hay muchos actos placenteros para un hombre y una mujer. Debes saber que el gozo puede ser obtenido con los dedos, la boca y la lengua. No está todo en el pene, Jane.

–¡Zayed! –exclamó ella con tono reprobador.

–¿No has probado nunca? –insistió él, pasando un dedo arriba y abajo sobre las bragas.

Lo había pensado, pero era un poco como vivir en un país sin litoral, imaginando cómo sería nadar en el mar cada mañana. Nunca lo había asociado con ella. Ella era la imperturbable Jane, la seria Jane, nunca la Jane sexy o, al menos, no lo había sido hasta ese momento. Estaba sintiéndose muy sexy gracias a aquel hombre.

Zayed metió el dedo por el elástico de las bragas y Jane tembló al sentir el roce sobre su sexo empapado.

–Zayed... –musitó mientras se retorcía de placer.

–¿Lo deseas, Jane? Solo necesito que me lo digas –murmuró él–. Prometo no hacer nada sin tu consentimiento.

En ese momento lo odiaba por su deseo de controlarla y hacer que capitulase. Zayed sabía que no hubiera podido detenerlo por mucho que quisiera.

–Sí –susurró.

–¿Quieres saber lo que es un orgasmo?

–¡Sí! Quiero tener un orgasmo. Hazlo, Zayed, por favor.

Ni siquiera ella misma podía creer que fuese tan atrevida, pero lo vio cerrar los ojos un momento, como intentando recuperar el control... o como si temiese perderlo. Cuando volvió a abrirlos la miró con gesto decidido mientras se deshacía de las bragas e inclinaba la cabeza para besarla. El doble asalto la hizo gemir de placer. El roce de sus labios en la boca y el de sus dedos sobre su parte más íntima amenazaban con hacerla perder la cabeza.

Zayed separó sus muslos para acariciar la suave pelusa entre sus piernas antes de enterrar un dedo en la ardiente carne. No dejaba de besarla, ahogando sus gemidos, mientras la acariciaba con dedos expertos hasta provocar un orgasmo que tomó a Jane por sorpresa. La sensación la levantó como una ola, llevándola a un sitio desconocido y, mientras los espasmos sacudían su cuerpo, dijo su nombre una y otra vez...

Algún tiempo después, no sabía cuánto porque el tiempo parecía haberse detenido, volvió a la Tierra. Tenía la cabeza apoyada en su torso y se agarraba a las solapas de su chaqueta como un gatito abandonado que hubiese encontrado refugio contra el frío.

Era como si hubiera encontrado el paraíso. Mientras escuchaba los latidos de su corazón pensó que hasta ese momento solo había sido una sombra de la persona que debía ser. Era como si una nueva Jane hubiese emergido en un mundo donde todo parecía diferente. Abrió los ojos y miró alrededor. Los colores de la habitación parecían más intensos, el tictac del reloj de pared sonaba como música a sus oídos.

Pero cuando lo miró vio que él tenía la mirada clavada en el techo de la habitación, su perfil como de granito.

–¿Zayed?

Él giró la cabeza para mirarla, pero no podía ver nada en sus ojos negros.

–¿Mejor?

La intensa sensación de placer empezó a esfumarse. Hablaba sobre lo que acababa de pasar como si fuera un picor o una molestia de la que había querido librarse. ¿Era así como lo veía, como una simple respuesta física?

¿Y qué si fuera así?

Aquello no era real, se recordó a sí misma. ¿De verdad quería que murmurase palabras de afecto que la llenarían de una esperanza que no tenía derecho a sentir? No, en absoluto. No había nada malo en experimentar placer y decidió mostrarse tan despreocupada como él.

No era el momento de dejarse llevar por el estúpido deseo de darle un millón de besos o acurrucarse sobre su pecho.

–Mucho mejor –respondió.

–Tu primer orgasmo –observó él.

–Así es.

Zayed parecía ligeramente desconcertado, como si su reacción fuese algo inesperado. ¿Era eso lo que renovó la chispa en sus ojos?

–Con el fin de ser justos –empezó a decir, tomando su mano para besar cada dedo– ¿no crees que debería enseñarte cómo darme placer a mí?

Era una pregunta que la hubiera sorprendido una semana antes, pero que ya no la sorprendía en absoluto. Jane miró el brillo de sus ojos negros. Quería recibir una educación sexual. Quería aprenderlo todo sobre su cuerpo y aprender siempre había sido lo suyo. Pero, por una vez en su vida, le resultaba difícil ser objetiva y no dejarse llevar por el deseo de trazar sus labios con un dedo y decirle que era el hombre más hermoso que había visto nunca.

Pero sabía que no había sitio para gestos de afecto en aquel matrimonio de conveniencia. ¿No era vital dejar fuera las emociones?, se preguntó. Intentando mostrarse serena, Jane esbozó una sonrisa.

–Creo que es una sugerencia muy sensata –respondió, con el tono que habría usado si le hubiera pedido que sacase un libro de referencia de la biblioteca.

Capítulo 9

DEBERÍA haber sido suficiente. Más que suficiente. Y, sin embargo, no lo era. Zayed se sentía intensamente frustrado a pesar de dar y recibir placer con su virginal esposa cada vez que tenían una oportunidad. Le enseñó todo lo que sabía y cosas que nunca había probado, porque parar antes de la consumación significaba tener que hacer uso de su imaginación como no lo había hecho nunca. Durante los largos e inspirados encuentros en el dormitorio del palacio de Kafalah había descubierto una nueva definición de la sensualidad.

Nunca había tenido que controlarse, ni atemperar su deseo. Las mujeres eran complacientes con él y siempre le decían que querían sentirlo dentro de ellas. Y el sentimiento era mutuo. Desde luego, nunca lo habían hecho esperar por nada.

–¿Ni siquiera cuando eras un adolescente? –le preguntó Jane.

Estaban en la cama, con el sol del desierto entrando por las ventanas abiertas.

–No –respondió él–. Las mujeres siempre se han entregado a mí sin condiciones.

–¿Nunca antes habías disfrutado con estos frotamientos?

–Jane... –al recordar cómo había frotado su cuerpo contra el suyo, y el intenso orgasmo que había experimentado, Zayed volvió a excitarse–. ¿Cómo alguien tan inocente puede hablar de frotamientos de forma tan desinhibida y cómo consigues ser tan buena en todo lo que haces, aunque sea completamente nuevo para ti?

–Soy una académica y eso significa que necesito usar la terminología correcta –respondió ella–. Además de tener una mente abierta que me permite investigar el tema que elija. Y eso es lo que estoy haciendo –Jane pasó una mano por su muslo–. ¿No crees?

–Jane... –Zayed cerró los ojos–. Por todas las estrellas del cielo, ¿quieres parar?

Ella dejó de hacer lo que estaba haciendo.

–¿Eso es lo que quieres?

–Sí... no... ¡qué demonios!

La verdad era que ya no sabía lo que quería. Su inteligente e imaginativa esposa lo había cautivado con unos juegos sexuales que lo tenían desconcertado y excitado a todas horas. Ni siquiera el intenso debate en la prensa internacional sobre el sorprendente legado de su abuelo conseguía despertar su interés. Solo podía pensar en Jane, que había florecido bajo su tutela. Jane, que aprendía tan rápido.

Sintió que sus dedos se acercaban un poco más a su objetivo y la erección se volvió casi insoportable.

–Estaba pensando ir a los establos para ver a mi nueva yegua –empezó a decir, casi sin voz.

Jane detuvo la exploración, dejándolo frustrado.

–Muy bien. Entonces nos veremos más tarde.

¿Por qué no le suplicaba que se quedase? ¿Por qué

se sentaba en la cama, como dispuesta a despedirse? ¿Por qué parecía tan segura de sí misma?

–No, de eso nada. Ven aquí y dame placer –Zayed la atrajo hacia sí, dejando escapar el aliento que había estado conteniendo cuando volvió a acariciarlo.

–Pensé que necesitabas un respiro. Estás trabajando mucho desde que volvimos de Washington.

Él abrió la boca para decir algo, pero olvidó lo que estaba a punto de decir cuando Jane levantó su túnica. Y no por primera vez, maldijo el hecho de no llevar ropa occidental porque al menos proveía una barrera natural para esos encuentros. Era más fácil detener a una mujer cuando había cremalleras y botones en el camino. Pero cuando todo lo que había entre ti y una mano decidida era una capa de tela, ¿qué podía hacer el hombre? Sentía como si estuviera atrapado en una telaraña de seda, sin forma de escapar. Como si Jane estuviese encadenándolo con cada intricada hebra que tejía.

¿Y no era verdad que a veces le molestaba? Odiaba que ella pareciese capaz de controlar sus emociones cuando él estaba tan desaforado.

Jane empezó a lamer sus testículos, concentrándose en cada uno con la misma intensidad que si estuviera tomando un helado, intentando hacer que durase el mayor tiempo posible. Zayed contuvo un gemido para no distraerla de su erótica tarea, aferrándose con garras de halcón a la tela amontonada en su cintura mientras disfrutaba del calor de su lengua.

El pelo castaño dorado abanicaba su vientre mientras deslizaba los dedos sobre su rígido miembro. Jane levantó la cabeza para mirarlo a los ojos mientras lo tomaba entre sus labios y Zayed contuvo el aliento, temiendo que parase, aunque sabía que no lo haría. Fue tomándolo poco a poco en su boca hasta que sintió que estaba ahogándose de placer. De nuevo, intentó contenerse todo lo posible, pero el húmedo roce de su lengua estaba matándolo y, sujetando la cabeza de Jane con las dos manos, derramó su ardiente semilla dentro de su boca.

Después se dejó caer hacia atrás, con la garganta seca, la frente cubierta de sudor y el corazón latiendo como un primitivo tambor.

–Esto me está volviendo loco –dijo con voz ronca–. Tú me estás volviendo loco.

–No estarás quejándote, ¿verdad, Zayed? Solo has tenido un orgasmo. Y un orgasmo muy satisfactorio, a juzgar por tu reacción.

–No se trata de eso.

–¿Ah, no? Entonces debo haberme perdido algo. Pensé que ese era el sentido del sexo, aparte de la procreación. Y está claro que no es eso lo que nos interesa –Jane se apartó el pelo de la cara–. De hecho, deberías saber que uno de tus antepasados escribió en su diario que prefería que las mujeres de su harem le practicasen sexo oral porque de ese modo él no tenía que cansarse. Y eso era muy estimable en el desierto, antes de que existiera el aire acondicionado.

–Me importa un bledo lo que pensara mi antepasado.

–¿No me digas? –Jane lo miró enarcando las cejas y Zayed recordó su helada expresión durante sus escasos encuentros en la embajada.

¿Qué había sido de la mujer con la deslucida ropa y el pelo sujeto en un apretado moño? ¿Ese lado profundamente sensual habría estado siempre ahí, esperando que un jeque del desierto lo liberase o el tipo del Ministerio de Asuntos Exteriores británico habría provocado la misma reacción? Zayed se puso tenso.

–No, no me importa.

–Entonces, ¿por qué estás de mal humor? ¿Cuál es tu problema?

Ella era su problema y no podía entender por qué. Estaba siendo la mejor esposa, considerando que él no quería una esposa. No había vuelto a hablar de las cosas que le había contado. No había habido más preguntas ni intentos de profundizar en su doloroso pasado. No se había pavoneado por ser la única que conocía su secreto. Era discreta, un atributo que la hacía tan buena en su trabajo, pero esa discreción era frustrante. Le había dicho que no volvería a hablar de su pasado, pero había esperado que al menos intentase convencerlo...

¿Para poder rechazarla?

Probablemente.

El problema era que parecía estar acercándose cada día más. Se decía a sí mismo que le resultaba tan atractiva porque era algo prohibido, y él era un hombre que siempre buscaba lo prohibido. Eso era lo que la hacía tan fascinante.

–Ven aquí –murmuró, colocándola sobre su cuerpo, estómago contra estómago y entrepierna contra entrepierna.

–Ten cuidado –le advirtió Jane cuando metió los dedos bajo su túnica.

–No hay necesidad de preocuparse. Llevas bragas, ¿no?

Ella se puso colorada.

–A veces dices unas cosas escandalosas.

Era tan delicioso contraste, pensó. Tan remilgada y, sin embargo, con un insaciable apetito sexual que solo él había despertado. Zayed volvió a excitarse y, a juzgar por el brillo de sus ojos, también ella se dio cuenta. Se preguntó qué haría si apartase a un lado sus bragas para deslizarse dentro de ella, como dos adolescentes que no pudiesen esperar más. Era una situación que jamás había vivido porque sus amantes siempre le habían dado exactamente lo que quería. ¿Pero no era así como se sentía, como un adolescente con poca experiencia en una situación que parecía tener vida propia?

–¿No sería más fácil hacerlo? –le preguntó.

Jane se levantó de la cama y pasó las manos por su túnica.

–¿Y luego qué? Todo habría sido en vano. El matrimonio habría sido consumado y no podrías anularlo.

–Nadie lo sabría. He estado revisando textos legales y he descubierto que la no consumación es muy difícil de demostrar.

–Pero nosotros lo sabríamos –dijo ella con tono reprobador mientras se acercaba a la ventana para mirar el cielo del desierto–. Sería difícil vivir con esa mentira y correríamos el riesgo de cometer perjurio, algo para lo que yo no estoy preparada.

Zayed dejó escapar un suspiro. ¿Por qué siempre tenía razón?

–No, es verdad.

Jane parecía tensa y estuvo a punto de preguntarle qué pasaba por su cabeza. Aunque ese deseo también era frustrante porque preguntarle a una mujer lo que estaba pensando era el principio del fin.

–¿Jane?

Pero ella no estaba escuchando, sino preguntándose durante cuánto tiempo podría fingir que no sentía nada por el hombre con el que se había casado, que solo le importaba tener orgasmos cuando la verdad era que Zayed le robaba el corazón con cada beso.

Al otro lado de la ventana el cielo era tan azul como el vestido que su madre le había comprado a Cleo años atrás. Se le había encogido el corazón cuando abrió la otra caja y descubrió que su vestido era de un aburrido y sensato azul marino. Su madre no había sido intencionadamente cruel, sencillamente reconocía las diferencias entre sus dos hijas, una tan guapa y la otra tan práctica. Y nada había cambiado, debía recordar eso. Bajo las túnicas de seda, ella seguía siendo la práctica Jane, la feúcha Jane. Unas cuantas joyas y un título temporal no iban a cambiar eso.

Había conseguido despertar el interés de Zayed, pero no duraría. Estaba momentáneamente fascinado, pero solo porque seguía siendo esquiva. Incluso ella, con su falta de experiencia, se daba cuenta de eso.

Sabía que a veces la observaba cuando creía que ella no se daba cuenta y, a menudo, las cosas que decía lo hacían sonreír. Y él no era un hombre que prodigase sonrisas. Pero Zayed no sabía la verdad. No sabía que estaba intentando no derretirse cada vez que la besaba, que ansiaba sentirlo dentro de ella, que anhelaba tener un hijo con una pasión que la sorprendía.

Porque estaba empezando a conocer al hombre que había bajo el arrogante exterior, y ese hombre le gustaba tanto que corría el peligro de enamorarse de él. Amar a un hombre que no quería su amor, un hombre dañado que escondía su dolor bajo una capa de éxito y arrogancia...

No había vuelto a tener pesadillas desde que le contó lo que le había pasado a su madre y ninguno de los dos había vuelto a mencionar tan doloroso asunto. Jane no podía negar que se sentía satisfecha al pensar que ella podría haberlo liberado de esos demonios, pero no debería soñar con algo que nunca podría ser. Porque Zayed saldría corriendo si supiera cuáles eran sus verdaderos sentimientos. Si supiera que muchas noches permanecía despierta, preguntándose cómo iba a soportar los próximos meses, a pesar del mutuo placer que se proporcionaban. Temía ponerlo de manifiesto sin darse cuenta.

Pensó entonces en Kafalah, el país con el que había soñado durante casi toda su vida y en lo irónico que era pasar tanto tiempo en el dormitorio a pesar de tener libre acceso a todas las habitaciones del palacio y a su magnífica biblioteca.

–¿Iremos a Qaiyama antes de que me marche? –le preguntó de repente.

–Tenemos muchos meses por delante.

–Lo sé, pero me gustaría ir antes del invierno. He oído que en los últimos años ha nevado tanto en la región que no se puede llegar a la ciudad –Jane se volvió hacia él–. ¿Crees que sería posible?

Él esbozó una arrogante sonrisa.

–Todo es posible para un jeque. Solo tienes que pedirlo.

Jane quería corregirlo, pero no se molestó. Porque no eran temas académicos, hechos que podían ser verificados o negados. Los asuntos del corazón no se conformaban con unas reglas, de modo que no todo era posible para Zayed. No le era posible amarla, ¿no?

Planearon el viaje para el final de la siguiente semana y, antes de irse, Jane envió un correo electrónico a David Travers, preguntándole por un posible puesto en el Ministerio de Asuntos Exteriores. Porque tenía que empezar a pensar en el futuro. Cuando aquello terminase no podría volver a su trabajo en la embajada. Sería inadmisible encontrarse con la antigua esposa del rey de Kafalah estudiando polvorientos archivos. ¿Qué pasaría cuando Zayed fuese de visita? Tendría que fingir que no habían sido nada el uno para el otro o, algo peor, recordar lo que habían hecho y cómo.

No había recibido respuesta de David cuando llegaron a Qaiyama y Jane no sabía la sorpresa que la esperaba. Había pensado que irían directamente a la cuidad, pero habían aterrizado en el vasto vacío del desierto. Bueno, no del todo vacío porque estaban frente a una enorme tienda beduina, con un grupo de otras más pequeñas a lo lejos, bajo el resplandeciente sol del atardecer. Jane asomó la cabeza y vio los hermosos tapices que colgaban de las paredes.

–¿Qué es esto?

–Imagino que reconoces una tienda beduina –respondió él, burlón–. ¿No me habías dicho que era tu deseo alojarte en una?

Sí, lo había dicho. Se lo había confiado durante esos primeros días de descubrimiento sexual, cuando era capaz de disfrutar del placer por el placer, antes de que las absurdas demandas de su corazón la hiciesen anhelar mucho más. No podía hablarle de sus temores, no podía decirle que aquel romántico escenario le causaría un innecesario dolor, de modo que siguió a su marido al interior de la tienda. Las lámparas de hierro forjado que colgaban del techo emitían un resplandor dorado y los divanes cubiertos de rico y pesado brocado reposaban sobre alfombras de seda.

–Una de las criadas te acompañará al baño –dijo Zayed en voz baja. Y, como si la hubiera conjurado, una joven apareció en la entrada de la tienda.

Jane quería protestar mientras la llevaba al baño preparado para ella, pero olvidó sus protestas en cuanto se metió en la bañera. ¿Cómo habían logrado producir tanta agua caliente en medio del desierto?, se preguntó. Pero sus preguntas fueron silenciadas por las deliciosas sensaciones de los aceites aromáticos. Después del baño, la joven criada la frotó con una crema con aroma a naranjas y bergamota y, más tarde, la ayudó a vestirse.

Nunca había visto túnicas de una seda tan fina. Eran exquisitas, de un profundo color índigo, tan rico y oscuro como el cielo del desierto, delicadamente bordadas con hilo de plata y salpicadas de diminutas gemas que brillaban cada vez que se movía, como si estuviera envuelta en el propio cielo.

Con el pelo suelto y algo mojado recorrió el camino hasta la tienda principal, bajo un cielo cubierto de estrellas y la perfecta cimitarra de una luna dorada. Debía de haber sido así siempre para los antepasados de Zayed, pensó. Porque allí, en la sobria belleza del desierto, nada había cambiado. Dentro de la tienda las lámparas habían sido remplazadas por docenas de velas, que reforzaban la sensación de cuento de *Las mil y una noches.*

Cuando Zayed la oyó entrar y se volvió para mirarla, Jane pensó que recordaría su expresión durante toda su vida. ¿O quizá intentaría olvidarla porque sería demasiado doloroso? Porque en ese descuidado momento vio deseo en sus ojos, pero también algo más. Otra emoción que parecía un anhelo más profundo.

O tal vez estaba transfiriendo sus propios sentimientos, imaginando que había visto lo que quería ver.

–¿Te gusta? –le preguntó, señalando la túnica. Pero su voz no parecía su voz. Sonaba ronca, trémula.

–Yo... –Zayed vaciló y eso era raro en él–. Nunca he visto una mujer más bella que tú, mi reina.

Le gustaría pedirle que no le hablase de ese modo y, sin embargo, no quería que parase. Se alegró de poder sentarse sobre los bordados almohadones frente a la tradicional mesa baja porque le temblaban las rodillas. Dos criados llevaron los platos favoritos del jeque en bandejas doradas, acompañados del dulce jugo de dátil por el que la región era tan famosa. Pero Jane apenas podía disfrutar de las delicadezas que les ofrecían porque estaba demasiado agitada.

Zayed la tomó en sus brazos y apartó el pelo de su cara.

–¿Qué te pasa? Estás muy pensativa esta noche.

Ella esbozó una sonrisa.

–Esta es una experiencia maravillosa –murmuró, buscando algo en lo que concentrarse que no fuera la tentación de sus ojos–. Por una vez, no tengo palabras.

Pero Zayed giró su cara con la palma de la mano para que solo pudiese mirarlo a él.

–Entonces, tal vez deberíamos ocuparnos en algo que no exija palabras.

Los dos habían llegado al orgasmo esa noche, no solo una vez, sino varias. Zayed la acarició con la boca y con las manos, explorando cada centímetro de su cuerpo hasta hacerla gritar, pero Jane nunca había sido más consciente de la superficial naturaleza de su relación.

No estaban entregándose el uno al otro como podrían hacerlo. Porque él no quería hacerlo, porque ella no debería ser su amante. Era su esposa de conveniencia, nada más, y solo durante un tiempo.

Allí, en la romántica tienda beduina en medio del desierto, era fácil olvidar la realidad y dejarse llevar por la fantasía de que Zayed era su marido de verdad. Y no debería dejarse llevar porque era un error.

En la tranquila noche del desierto, escuchando la serena respiración de Zayed, intentó concentrarse en la felicidad que le producía saber que él ya no sufría esas terribles pesadillas. Haciendo un esfuerzo, intentó olvidar su desesperanza por algo que nunca podría ser.

A pesar de la belleza incomparable de aquel sitio, fue un alivio cuando se marcharon a la mañana siguiente para instalarse en el suntuoso palacio de Qaiyama. Jane aprovechó la oportunidad para distraerse de sus incómodos pensamientos explorando la ciudad que una vez había sido la capital de Kafalah. Con sus abarrotados bazares, su enorme plaza y la famosa torre del reloj sobre el antiguo templo, seguía siendo un sitio muy romántico.

Tenía un millón de preguntas para el guía y el hombre fue capaz de responder a la mayoría, pero algunas, le confesó, lo dejaron perplejo. Vio que Zayed sonreía cuando le dijo que investigaría las respuestas y le mandaría un correo con esa información.

Estaba acalorada y polvorienta cuando volvieron al palacio y, después de tomar un par de rápidas notas en su ordenador, entró en el baño para darse una refrescante ducha. No era tan relajante como un baño a la luz de las velas en el desierto, pero no se podía tener todo.

Cuando volvió a la habitación, con el pelo mojado y la túnica de seda acariciando su perfumada piel, vio algo en el rostro de Zayed que no había visto hasta entonces. Algo que la puso en alerta.

–¿Ocurre algo?

–No, nada –respondió él–. ¿Has visto cuánto se ha alegrado el guía al saber que la reina conoce tan bien la historia de nuestro país?

Jane estaba a punto de hacer una broma sobre la temporalidad de su título, pero algo en la mirada de Zayed la detuvo. Algo oscuro y peligroso. Peligroso y excitante, si eso era posible. Nerviosa, se pasó la lengua por los labios resecos.

–¿De verdad va todo bien?

–Por supuesto –respondió Zayed, tomando su cara entre las manos–. De hecho, estoy empezando a pensar que he sido un tonto.

–¿Por qué lo dices?

–Sé que resulta increíble, pero hasta yo soy capaz de cometer errores.

La curiosidad superó el deseo de reprocharle tan arrogante afirmación.

–¿Qué tipo de errores, a qué te refieres?

Zayed la estrechó entre sus brazos.

–Deseo tanto poseerte que me está comiendo por dentro –respondió, con voz ronca–. No puedo aguantar más, Jane. Y no pienso intentarlo siquiera.

El corazón de Jane se aceleró. Pensaba que iba a darle placer de la forma habitual, pero en Zayed había una tensión nueva. Algo había cambiado.

–¿Debo adivinar lo que quieres decir con las vagas pistas que me estás dando?

Él soltó una carcajada. Era una risa burlona, pero teñida de algo más oscuro.

–Podrías adivinarlo si te diese suficientes pistas, pero eso sería una pérdida de tiempo y yo no estoy dispuesto a perder más.

–No te entiendo.

–Lo harás muy pronto –le prometió Zayed mientras acariciaba su tembloroso labio inferior con un dedo–. Voy a hacerte el amor. Del todo, como es debido. Completamente.

–Pero no podemos...

–Sí podemos –la interrumpió él. Y, antes de que pudiese protestar, empezó a acariciar la curva de su cintura por encima de la túnica–. He hablado con los abogados.

–¿Abogados? –repitió ella, perpleja, porque esa palabra parecía arruinar el momento.

–He cumplido con las condiciones del testamento de mi abuelo y he heredado las tierras de Dahabi Makaan. Está hecho, así que ahora podemos hacer lo que queramos.

–Pero entonces no podremos anular el matrimonio en seis meses –le recordó ella, intentando desesperadamente controlar el trueno de su corazón y el repentino latido de su sexo–. Tendremos que esperar al menos dos años para separarnos.

–¿Y eso te importaría? –le preguntó él, acariciando sus hinchados pechos.

Jane estaba tan excitada que ni siquiera el ejército de Kafalah entrando en tromba en su habitación la habría molestado. ¿Qué más daba que fueran seis meses o dos años? En cualquier caso tendrían que divorciarse.

¿Y por qué no iba a ser Zayed el hombre que se llevase su virginidad cuando lo deseaba tanto? ¿Por qué no disfrutar de esa experiencia única y preciosa con alguien que le importaba más de lo que nunca hubiera podido imaginar?

–Supongo que podría soportarlo –respondió con frialdad, decidida a no asustarlo con su entusiasmo.

–Entonces está decidido.

Estaba besando su cuello y su voz ya no era un murmullo. Hablaba con un tono de innegable determinación, a juego con la oscuridad de sus ojos, mientras la tomaba en brazos para llevarla al diván como lo había hecho en sus fantasías.

Cuando le quitó la túnica estaba desesperada y temblando de deseo. Asustada y excitada al mismo tiempo mientras lo veía desnudarse, desvelando esa magnífica piel dorada ante su hambrienta mirada.

Los anchos hombros, las delgadas caderas, los poderosos muslos. Y allí, sobresaliendo de su entrepierna, la abrumadora erección, tan grande y orgullosa. Lo había tocado muchas veces, pero al fin iba a sentirlo dentro de ella.

Zayed se tumbó a su lado en el diván y empezó a hacer círculos alrededor de cada erecto pezón con un dedo, antes de inclinar la cabeza para lamerlos por turnos. Jane temblaba de puro gozo. Pensaba que, una vez tomada la decisión, Zayed la poseería rápidamente, pero se tomó su tiempo.

¿Cómo podía controlarse cuando era evidente que ella estaba tan dispuesta? Intentó contener un suspiro al sentir el roce de su lengua sobre el vientre, mientras acariciaba su ardiente sexo con los dedos.

–¿Cuánto tiempo debo hacerte esperar? –susurró–. ¿Tiempo suficiente para hacerte suplicar, como me suplicaste la primera vez que te toqué?

–¿Eso es lo que quieres? –susurró ella.

Pero Zayed negó con la cabeza.

–Tú nunca podrás darme lo que quiero, Jane –respondió, con un tono que le resultó extraño–. Pero yo sí puedo darte lo que tú quieres y garantizar que nunca me olvidarás. Ningún hombre podrá darte el placer que vas a experimentar entre mis brazos.

Estaba alardeando, como siempre, pero algo en la oscura nota de su voz le dijo que debería detenerlo. Porque sus necesidades eran diferentes. A ella le importaba más de lo que le importaba a él. Jane sentía algo que... Zayed era incapaz de sentir.

Se mordió los labios, sabiendo que todo lo que había dicho era verdad. Si dejaba que se llevase su virginidad nunca sería capaz de librarse de su recuerdo. Su rostro de halcón y sus ojos de ébano la perseguirían mientras viviese.

Pero no podía detenerlo. No podía y no quería hacerlo, de modo que se quedó inmóvil mientras él miraba sus temblorosos pechos. Se quedó inmóvil mientras clavaba los ojos en el triángulo de rizos entre sus muslos. Era una mirada abiertamente calculadora y, por un momento, casi pudo imaginar lo que sentiría una prostituta, pero tampoco eso le importó.

–Tienes una oportunidad de cambiar de opinión –dijo él, como si hubiera leído sus pensamientos.

–No voy a cambiar de opinión.

Sonriendo, Zayed se colocó sobre ella y abrió sus piernas con las rodillas. Podía sentir la punta de su erección rozando su húmeda entrada y, aunque casi habían llegado tan lejos otras veces, en aquella ocasión era diferente. Sus ojos parecían echar fuego mientras entraba en ella.

Le dolió, pero solo un poco, y el dolor fue rápidamente remplazado por una indescriptible sensación de plenitud. Porque aquello era lo que había querido experimentar durante tanto tiempo. Mientras la llenaba, Jane gritó su nombre. Zayed empujó un poco más y ella gritó su nombre de nuevo, una y otra vez.

Enredando las piernas en su espalda, se entregó al delicioso ritmo de sus embestidas. Gimió al sentir el inicio del orgasmo, tan diferente y tan poderoso teniéndolo dentro. De repente, estaba gritando y él también. Los espasmos sacudían su cuerpo y Zayed dejó escapar un gemido ronco mientras la embestía por última vez, antes de derramarse en ella.

Durante unos minutos no dijeron nada. Sintiéndose más cerca de él que nunca, Jane enterró la cara en su pecho para escuchar los latidos de su corazón, deseando saborear el momento. Pero no podía controlar los pensamientos que daban vueltas en su cabeza. Era absurdo esperar palabras de amor, ¿pero sería posible no tener que apresurarse para pedir el divorcio? ¿Querría Zayed darle una oportunidad a su matrimonio?

–Esto no ha sido muy inteligente –dijo él por fin.

Jane levantó la cabeza, sorprendida.

–¿Perdona?

–No deberíamos haberlo hecho.

–Ya, pero lo hemos hecho.

–Así es –asintió él, apartándose–. Tal vez era inevitable después de estas semanas. Ha sido una ingenuidad por mi parte pensar que podía compartir mi cama con una mujer y no poseerla.

Jane estaba a punto de ponerse a gritar. Había pensado que era pasión, pero Zayed solo había querido poseerla.

–Te he defraudado –siguió él, con el mismo tono apagado–. Y, por eso, debo dejarte ir.

–¿Dejarme ir? –repitió ella. ¿No era ese el eufemismo que usaban los jefes cuando querían despedir a alguien?

–No he cumplido mi palabra, algo que nunca antes había hecho, así que voy a dejarte ir. No voy a importunarte más porque ya no te necesito. He hecho lo que debía hacer por mi pueblo y puedes irte ahora mismo si quieres.

Jane abrió la boca para decir que no quería marcharse, pero entonces se dio cuenta de que no era su decisión. Era una orden del jeque de Kafalah, sutilmente disfrazada de preocupación por ella. ¿Iba a humillarse a sí misma suplicándole de nuevo?

Con el corazón encogido, tomó su túnica del suelo y se la puso, aliviada al ocultar su desnudez.

–En ese caso, ¿puedes organizar mi regreso a Inglaterra lo antes posible? –le preguntó con voz temblorosa.

Él se sentó sobre el diván.

–¿Tienes suficiente dinero?

–Tú sabes que acordamos el precio desde el principio –respondió Jane.

Pero la curiosidad fue más fuerte que ella. Recordaba la negrura en su rostro cuando empezó a seducirla. Recordaba el seco tono de su voz antes de que entrase en ella.

–Algo ha cambiado, ¿verdad? Algo te ha hecho faltar a tu palabra. No ha sido solo porque hayas conseguido Dahabi Makaan. Es algo más.

Él esbozó una tensa sonrisa mientras se levantaba del diván para ponerse la túnica.

–Creo que tú sabes la respuesta a esa pregunta, Jane.

–No, en realidad no lo sé.

–¿Ah, no? –Zayed la miró de arriba abajo–. ¿No has estado escribiendo en secreto a tu amante británico?

Jane tardó diez segundos en comprender a quién se refería.

–¿Has leído mi correo? ¡Has estado espiándome!

–El ordenador estaba encendido y entró un mensaje mientras tú estabas en la ducha. Un mensaje de «David» –dijo Zayed con gesto desdeñoso–. Qué conmovedor. Muy astuto por su parte buscar un puesto para ti cuando empieces tu nueva vida. Veo que no has perdido el tiempo.

–¿Por qué me has hecho el amor, Zayed? –le preguntó Jane entonces–. Dime la verdad. Es lo único que te pido.

Vio indecisión en sus facciones. Un segundo de vacilación, como si supiera que no habría marcha atrás después de su respuesta.

–Porque te imaginé en los brazos de David Travers y no podía soportar la idea de que otro hombre fuese el primero.

Y fue en ese momento cuando Jane supo que todo

había terminado. Estaba en lo cierto, Zayed había querido hacerla suya y de nadie más. No era una muestra de pasión, sino una muestra de poder.

–Me gustaría irme lo antes posible –le dijo.

–¿Dónde vas a ir?

Jane se dio cuenta de que no le importaba qué fuese de ella. Sencillamente, intentaba proteger su preciosa reputación porque no quería que la esposa del jeque de Kafalah viviese en un sitio inapropiado.

Le había cerrado su corazón. Había vuelto a ser el Zayed que prefería ser. Acababan de hacer el amor, pero no deberían haberse molestado. Unos minutos antes se había sentido tan cerca de él... pero ese sentimiento no era correspondido. Lo único que representaba para Zayed era el símbolo de su fracaso para resistirse a una mujer y sospechaba que nunca se lo perdonaría a sí mismo. O a ella.

De modo que esbozó una fría sonrisa para hacerle saber que aquel era el final de su nefasto matrimonio. Que una vez que saliese por esa puerta no habría vuelta atrás. Su corazón ya estaba roto y de ningún modo se arriesgaría a infligirle más dolor.

–Donde vaya es asunto mío, Zayed. Se ha terminado. No quiero saber nada de ti –respondió, entrando en el cuarto de baño y cerrando la puerta tras ella.

Capítulo 10

POR PRIMERA vez en su vida, Jane no tenía un plan. Estaba en Londres, pero no había vuelto a su casa porque no se atrevía. Le había dicho a Zayed que no quería volver a verlo, pero sabía que no sería tan sencillo. Por el momento, seguía siendo su esposa. ¿Y si decidía que quería volver a acostarse con ella? No podía arriesgarse a eso.

No podía arriesgarse porque sabía que sería incapaz de resistirse.

De modo que fue a casa de Cleo y se quedó sorprendida al descubrir que su hermana se había mudado. Ya no vivía en la desaliñada habitación al este de Londres, sino en Ascot, en una casita dentro de la finca de una enorme mansión.

–Soy el ama de llaves –le contó–. Y no me mires con esa cara de sorpresa. ¿De verdad pensabas que iba vivir en esa caja de zapatos toda mi vida, intentando encontrar trabajo como modelo? –le espetó, fulminándola con la mirada–. ¿Es que no creías que pudiese cambiar de vida o solo tú eres capaz de un cambio positivo?

–No, claro que no –respondió Jane, pensando en lo equivocada que estaba su hermana porque nada positivo había salido de su matrimonio con Zayed. Nada más que un corazón roto y la amarga convicción de que nunca lo olvidaría–. Es que no te imagino como ama de llaves.

Cleo sonrió.

–¿Crees que me dedico a fregar suelos de rodillas como Cenicienta? No pensarás que voy a arruinarme la manicura –su hermana le mostró sus perfectas uñas rojas–. No, de eso nada. El propietario de la casa es un multimillonario que nunca está aquí, pero tiene un ejército de empleados y jardineros. Supuestamente, mi presencia debe disuadir a los ladrones.

–¿Pero es seguro? –preguntó Jane, preocupada.

–Le he dicho que soy cinturón negro de judo.

–Pero no es verdad.

–¿Y eso qué importa? Estoy yendo a clases –Cleo la miraba, pensativa–. Pero no hablemos más de mí. ¿Vas a contarme por qué has estado llorando?

–No he estado llorando.

–Jane, soy yo. Te conozco y no puedo creer lo que veo. Tú nunca lloras.

El problema era que desde que se fue de Kafalah no podía dejar de hacerlo. Las lágrimas asomaron a sus ojos mientras se dejaba caer en el sofá.

–Muy bien –dijo Cleo solemnemente mientras se sentaba a su lado–. Lo último que sé de ti es que estabas feliz en Washington, cautivando a diplomáticos y cenando en la Casa Blanca. ¿Qué me he perdido?

Jane apartó las lágrimas de un manotazo mientras le contaba la historia. O parte de la historia, porque se dejó muchas cosas fuera. No creía que nadie tuviese derecho a conocer la vida sexual de otro y, aunque estaba furiosa con Zayed, más furiosa que nunca en toda su vida, no iba a traicionarlo contando sus intimidades.

–Y entonces volví a Inglaterra –terminó, sorbiendo por la nariz.

–Así que, básicamente, te casaste para pagar mis deudas, por lo que te estaré siempre agradecida. ¿Y qué pasó cuando te enamoraste de él?

–No estoy enamorada de él.

–Venga, Jane, lo veo en tu cara. Pero él piensa que estás interesada en ese tal David, ¿no?

–Así es.

–Pero, si Zayed no te quiere, ¿por qué estaba tan celoso de un chico al que conociste en la universidad?

–Porque es muy posesivo. No me quiere, pero tampoco quiere que sea de nadie más.

–Magistral –dijo Cleo con tono de admiración.

–Bárbaro –la corrigió Jane.

–¿Y ahora qué vas a hacer?

Jane dejó escapar un suspiro. Había pensado en ello hasta que le daba vueltas la cabeza.

–Tengo suficiente dinero para vivir durante un tiempo y pienso irme a algún sitio remoto para escribir la historia definitiva de Kafalah.

–Pero si lo que quieres es olvidarte de Zayed... –su hermana parecía desconcertada– ¿escribir el libro no lo haría imposible?

Jane negó con la cabeza, totalmente decidida.

–Será una catarsis –respondió con firmeza–. Nadie lo ha hecho antes, así que hay un hueco en el mercado y cuando termine podré olvidarme de ese maldito país para siempre.

–¿Y si Zayed intentase volver a ponerse en contacto contigo?

–No lo hará –respondió Jane, sintiendo un escalofrío

al imaginar al oscuro jeque apareciendo en la puerta de su casa–. Si quiere comunicarse conmigo puede hacerlo a través de los abogados. Sus preciosos abogados –añadió con amargura.

En su despacho del palacio de Kafalah, Zayed miraba el cuadro que colgaba sobre su escritorio. Un cuadro parecido al que había donado al restaurante de Londres, el que Jane había reconocido la noche que la llevó a cenar, cuando le pidió que se casara con él. Miró las tres torres azules de Tirabah y se dio cuenta de que nunca la había llevado allí para que pudiese ver de cerca la belleza que tantos artistas habían capturado con sus pinceles.

Pero no quería pensar en los errores que él había cometido. Quería concentrarse en los de Jane, en la deslealtad que había mostrado al comunicarse en secreto con otro hombre.

Sin embargo, por mucho que intentase convencerse a sí mismo de lo contrario, en el fondo sabía que se había portado mal con su esposa inglesa. Al menos, desde que dejó que los celos se apoderasen de él. Y cuando pensaba en ello se sentía horrorizado por lo mal que lo había hecho. Alguien como Jane jamás flirtearía con otro hombre cuando era evidente que solo estaba pendiente de él.

¿Podría haber pedido más de lo que ella le había dado? No, imposible. Sexualmente imaginativa, una conversadora estimulante y un éxito en la corte de Kafalah, Jane había sido una esposa ejemplar en todos los sentidos.

Zayed sacudió la cabeza. Le había dicho que ya no la necesitaba, como nunca había necesitado a su madre o a su padre durante esos años, pero por mucho que intentase convencerse a sí mismo de que eso era cierto sus argumentos sonaban cada vez más vacíos.

¿Cómo podía echarla tanto de menos? ¿Por qué a todo le faltaba lustre sin ella? Incluso el fabuloso palacio parecía deslucido bajo el sol del desierto.

Zayed se levantó y fue al vestidor, donde aún seguían colgando sus túnicas de seda. Debería pedir que se las llevasen, pero no había querido hacerlo y no entendía por qué. ¿Esperaba que Jane volviese a Kafalah? Nunca volvería y no podía culparla.

Todo el mundo se había enterado de que su esposa ya no estaba en Kafalah. Con tono claramente decepcionado, porque la nueva reina del desierto había sido un éxito en Washington, algunos periodistas extranjeros daban a entender que el matrimonio estaba al borde del divorcio.

El teléfono de Zayed empezó a sonar. Era su línea privada, por la que antes recibía las llamadas de sus amantes. Después de leer la prensa algunas habían llamado sugiriendo que volvieran a verse, pero esa intrusión lo ponía de mal humor y le había pedio a Hassan que cambiase el número. Porque no quería una examante y no quería una nueva. Quería a Jane. Se había dado cuenta mientras le hacía el amor en el diván, cuando por primera vez en su vida había olvidado ponerse un preservativo. ¿Podría estar esperando un hijo suyo, un heredero para el trono de Kafalah? Se le encogió el corazón al pensarlo. Tenía que descubrir si así era.

Pero el ayudante que envió a Londres con un ramo

de rosas fue informado de que la reina se había mudado y no había dejado una dirección. La noticia lo había enfurecido y excitado al mismo tiempo porque nada lo estimulaba más que la caza. La llamó por teléfono, pero al parecer él no era el único que había cambiado de número. Se puso en contacto con la embajada de Londres, pero nadie sabía nada de ella. Incluso había llamado al Ministerio de Asuntos Exteriores británico para confirmar que su esposa no había solicitado un puesto allí.

Y fue entonces cuando empezó a entender que se había equivocado. La había juzgado por sus propios patrones de comportamiento y ese había sido un error monumental. La había tratado como si fuera de su propiedad. Era un bárbaro.

Zayed pidió que preparasen su avión, sabiendo que no había una sola mujer que pudiera resistírsele cuando quería hacerla suya, y diez horas después aterrizaban en un aeropuerto privado a las afueras de Londres.

Pero encontrar a su esposa no era tan fácil como había pensado y se vio obligado a aceptar que Jane no quería ser localizada. Hizo falta un equipo de investigadores privados para encontrar a su hermana, Cleo, y cuando por fin la encontró se quedó sorprendido. A pesar del pelo rubio teñido y los ojos de color esmeralda, se parecía un poco a Jane. Pero no era Jane, se recordó a sí mismo amargamente. No era Jane.

Y tampoco era particularmente simpática.

–Mi hermana no quiere verte –le había dicho rotundamente.

–Ya me doy cuenta.

–Entonces, ¿qué haces aquí?

Zayed estaba a punto de decirle que nadie le hablaba así al jeque de Kafalah, pero se contuvo, pensando que debía ser diplomático si quería conseguir algo.

–Debo verla –dijo sencillamente.

Ella lo miró en silencio durante unos segundos y, por fin, a regañadientes, anotó una dirección y un número de teléfono.

–Lo único que te pido es que no le digas que voy a verla –le rogó Zayed.

–Porque sabes que entonces desaparecería.

–Así es. Sin embargo, tú me estás dando una oportunidad. ¿Por qué?

Cleo vaciló antes de fulminarlo con la mirada y, en ese momento, pensó que se parecía mucho a su hermana.

–Porque está sufriendo y no creo que vaya a superar esto hasta que vuelva a verte.

Zayed asintió. No era la respuesta que quería, pero al menos era sincera.

–Gracias.

Cleo se inclinó hacia delante para decirle en voz baja:

–Pero si le haces daño...

–Jamás le haría daño –la interrumpo él–. Por favor, créeme.

Zayed subió al coche y le dio instrucciones al conductor.

–¿Al norte de Gales, Alteza? –exclamó el hombre, mirando el cielo cubierto de nubes–. ¿Seguro que no prefiere ir por la mañana? Es un viaje largo y con este tiempo...

–Ahora –lo interrumpió, Zayed–. Quiero ir ahora mismo.

Nunca había estado en Gales, un país conocido por sus hermosas montañas y por sus precipitaciones por encima de la media. Estaba lloviendo cuando pasaron por Birmingham y llovía más cuando atravesaron un pequeño pueblo llamado Bala, con sus guardaespaldas siguiéndolos a cierta distancia. Encontrar la casa de Jane no era fácil porque apenas había postes indicadores o farolas y esa noche no había luna.

Con unos tejanos, un jersey y una chaqueta de cuero, Zayed se alegraba de ir vestido al modo occidental, especialmente cuando entró en un pub para pedir indicaciones y todos los parroquianos se quedaron en silencio, mirándolo como si fuese un extraterrestre.

Por fin, encontró la dirección. Era una casita diminuta pegada a varias otras, a unos metros de una estrecha carretera. Y en una de las ventanas del piso de arriba había luz. Zayed le dijo al conductor que esperase... ¿durante cuánto tiempo? No lo sabía.

Luego bajó del coche, respiró el aire frío y húmedo del campo y llamó a la puerta.

Un minuto después, una luz se encendió en la planta baja de la casa. No oyó pasos, pero sí el ruido de un cerrojo. La puerta se abrió entonces y un par de ojos de color ámbar se clavaron en él. Vio un brillo de sorpresa en ellos y luego... una tormenta de ira.

Tontamente, pensó en lo halagada que se hubiera sentido cualquiera de sus amantes si hubiese cruzado el mundo para verla, pero en el rostro de Jane solo había hostilidad.

Capítulo 11

DESDE el interior de la casa, los golpes en la puerta habían sonado autoritarios e implacables. Tal vez por eso había sentido un premonitorio escalofrío. O tal vez el frío de la casa se había metido bajo su piel y se había quedado allí para siempre.

Había intentado convencerse de que no podía ser Zayed, ¿pero quién si no estaría llamando a la puerta a esa hora de la noche? Estaba en la cama, intentando sin éxito entrar en calor mientras leía un libro sobre la guerra entre Kafalah y Hakabar en 1863, y pensando que Cleo había tenido razón: trabajar en un libro sobre ese país hacía imposible que se olvidase de su gobernante.

Entonces sonó otro golpe en la puerta.

Tal vez no debería hacer caso, pensó. Tal vez su silencio lo haría abandonar y marcharse. Jane suspiró. No, imposible. Zayed nunca se rendiría.

Pero si abría la puerta no podría desmoronarse. Tenía que ser fuerte, recordar que había leído sus correos y la había acusado de mantener una relación con David. Debía dejar claro que nada de lo que dijese la haría cambiar de opinión y que estaba dispuesta a poner la mayor distancia posible entre los dos.

Zayed no debía saber cuánto lo había echado de menos. Y era un anhelo tan desesperado. De nuevo, sin saber por qué, pensó en esa metáfora del azúcar. Era como si nunca lo hubiese probado y, al hacerlo, se hubiera vuelto adicta. Al principio el sabor era delicioso, pero luego, demasiado tarde, había descubierto que provocaba caries.

Por fin, Jane descorrió el cerrojo y asomó la cabeza por la puerta. No había luna ni estrellas en el cielo, solo una alta sombra recortada en la oscuridad.

Zayed, por supuesto.

–¿Qué haces aquí? –le espetó.

–Tal vez necesito saber si vas a tener un hijo mío.

–¿No podías habérmelo preguntado por teléfono?

–¿Es así?

–No voy a tener un hijo –respondió Jane, intentando esconder el dolor en su voz. Esconder otra inesperada capa de dolor–. Y no quiero saber nada más de ti, no me interesa. ¿Por qué no nos ahorras tiempo a los dos y vuelves a tu país?

–No pienso irme a ningún sitio hasta que haya hablado contigo. Me quedaré en la puerta toda la noche si no me dejas entrar. Claro que también podría volver al coche, sacar la caja de herramientas y arrancar la puerta de sus goznes.

–Despertarías a los vecinos.

En la oscuridad, Jane vio que se encogía de hombros.

–Entonces no me obligues a hacerlo.

Ella dejó escapar un suspiro de resignación.

–Será mejor que entres.

Zayed tuvo que inclinar la cabeza para no darse con el dintel y, una vez dentro, consiguió hacer que todo pareciese más pequeño. Como si la casa fuera de cartón.

Era desconcertante verlo con tejanos y chaqueta de cuero en lugar de las típicas túnicas. Desconcertante y excitante porque parecía el protagonista de una película de acción, fabuloso y peligrosamente accesible. Se preguntó entonces qué pensaría de su atuendo, el grueso jersey sobre el pijama y los calcetines de lana que cubrían sus pies.

Pero daba igual lo que pensara de su aspecto. No estaba intentando impresionarlo o seducirlo. Ni siquiera iba a pedirle que se sentara porque no quería que se pusiera demasiado cómodo.

–¿Por qué no dices lo que hayas venido a decir antes de irte?

Zayed asintió mientras contenía el aliento. Tenía la boca tan seca como el desierto. Disculparse era algo que no le resultaba fácil porque significaba reconocer que había estado equivocado, pero sabía que necesitaba hacerlo.

–Siento haberme portado como lo hice en Qaiyama.

Jane se encogió de hombros.

–Fue lamentable, sí, pero ya no podemos hacer nada. En cualquier caso, gracias por venir a disculparte en persona.

No era lo que Zayed había esperado, pero aceptó que ella no iba a ponérselo fácil.

–Pero esa no es la única razón por la que estoy aquí.

–A ver si lo adivino –Jane enarcó una ceja–. ¿Quieres reavivar tu ego demostrando que puedes ser un amante maravilloso?

–Aunque la idea de hacer eso enciende mi sangre, lo que de verdad quiero es saber que me has perdonado.

Ella negó con la cabeza.

–Lo siento, pero no tengo intención de perdonarte –le dijo. Y, de repente, dejó de importarle guardar las apariencias. No tenía por qué fingir que no le había hecho daño. Estaba herida, era un hecho y ella estaba acostumbrada a lidiar con hechos–. Al menos por el momento. Dame un año, tal vez cinco. Vuelve cuando el dolor no sea tan atroz y puede que entonces podamos reírnos de todo lo que ha pasado.

–Jane...

–No –lo interrumpió ella–. No sé lo que ibas a decir, pero te pido que tomes en consideración cómo podría afectarme. Por favor, Zayed. No intentes seducirme solo porque quieres hacerlo... –se le rompió la voz–. Solo porque sabes que puedes hacerlo.

Él apretó los dientes, como si no estuviese acostumbrado a aceptar críticas. Y, por supuesto, así era. Pero Jane no estaba dispuesta a proteger los sentimientos de Zayed az-Zawba porque estaba demasiado ocupada intentando proteger los suyos.

–Te echo de menos –dijo él entonces, mirándola a los ojos–. Me gusta tenerte cerca. Nunca antes había valorado la compañía de nadie. Siempre había pensado que era una intrusión, pero la verdad es que te echo de menos. Me gusta cómo me haces sentir y no me refiero solo al componente sexual. Me provocas intelectualmente y eso es algo que nunca me había pasado antes con una mujer. Me haces sonreír y eso tampoco me había pasado antes. Me sacas de quicio con tu testarudez y, sin embargo, admiro cómo luchas por lo que crees justo. Mi gente te adora como su reina del desierto y yo... –Zayed tragó saliva–. En fin, me gustaría que ocupases ese puesto de forma permanente.

–Te gustaría que ocupase ese puesto de forma permanente –repitió Jane en voz baja.

–¿Por qué no? –preguntó él con una sonrisa traviesa y sexy. Porque creía estar pisando terreno firme, creía estar a punto de cruzar la línea de meta como tantas otras veces.

–¿Por qué no? –repitió Jane, irónica.

–Hemos demostrado ser compatibles y yo creo que tú eres lo bastante sincera contigo misma como para reconocer que nunca encontrarás un hombre que pueda compararse conmigo.

–¿Ya no crees que estaba planeando liarme con David Travers en cuanto la tinta de nuestro divorcio se hubiera secado?

Zayed se encogió de hombros.

–Puede que te haya juzgado precipitadamente.

–¿Eso es un sí o un no?

–¿Qué es lo que quieres de mí, Jane? Te he dado todo lo que una mujer razonable podría esperar. Yo no confiaba en la gente, ni hacía confidencias ni me conformaba con meros roces hasta que te conocí. Y ahora me doy cuenta de lo importante que es todo eso.

–Pero no necesariamente en ese orden, ¿verdad?

–Jane... –Zayed se pasó una mano por el pelo–. ¿Siempre tienes una réplica inteligente a mano?

–¿Y por qué no? ¿No se te ha ocurrido pensar que he tenido que sobrevivir usando mi cerebro? Yo no tenía belleza, encanto o herencia. Y no puedes decir que admiras mi mente para criticarla un segundo después, cuando no te conviene escuchar lo que tengo que decir –Jane se inclinó para encender otra lámpara mientras intentaba calmarse.

«Habla con claridad. No te escondas tras subterfugios. Dile la verdad para que no tenga la menor duda».

–No lo entiendes, ¿verdad, Zayed? Crees que me lo ofreces todo cuando en realidad no me ofreces nada.

Él hizo una mueca.

–¿No has oído lo que acabo de decir?

–Te he oído perfectamente. Pero aunque la compañía, la atracción sexual y la estimulación intelectual pueden hacer que un matrimonio sea satisfactorio, te falta lo más importante de todo, especialmente si quieres un matrimonio feliz.

Zayed se puso tenso, como anticipando sus siguientes palabras, como retándola a pronunciarlas.

–Y estás a punto de decirme lo que es, ¿verdad?

–Tú sabes a qué me refiero porque es un hecho. Y se llama amor –las palabras escaparon de sus labios con una pasión que no había anticipado–. Es una sensación que desafía a la lógica y la razón, que te golpea cuando menos te lo esperas y, en mi caso, cuando menos lo quieres –Jane estaba abriéndole su corazón, sin sitio para esconderse. Pero tenía que hacerlo. Algo le decía que no tenía alternativa–. Yo no quería sentir lo que siento, pero así es. Te quiero, Zayed. A pesar de tu arrogancia y tu extravagante comportamiento, te quiero. Me he enamorado de ti.

Se había enamorado del hombre que había tras esa máscara arrogante y altiva, pero las palabras murieron en sus labios porque el lenguaje corporal de Zayed cambió de repente. Había sospechado que su declaración caería en saco roto, pero, en el fondo, ¿no albergaba la vaga esperanza de que él pudiera corresponder a su amor, aunque solo fuera un poco?

Zayed estaba mirando fijamente la chimenea, como si en los rescoldos del fuego pudiese encontrar la respuesta a la pregunta que no quería formular. Pero cuando levantó la mirada no había calma en sus demudadas facciones, sino ira y decepción.

–Te he ofrecido todo lo que podía ofrecerte. Te he dado más de mí mismo que a nadie. No te he mentido, Jane. Solo te hice las promesas que sería capaz de cumplir y si eso no es suficiente...

–No –lo interrumpió ella–. No lo es.

–¿Por qué no?

Jane se encogió de hombros.

–¿No sabes que la naturaleza detesta el vacío? Y habría un enorme vacío en nuestro matrimonio si faltase ese ingrediente. Si nuestros sentimientos fueran tan fundamentalmente desiguales nunca podría funcionar. Yo te amaría demasiado mientras tú no me amarías en absoluto. Tú lo sabes igual que yo, así que... –Jane tragó saliva, a punto de desmoronarse y hacer alguna estupidez. Algo imperdonable como agarrarse a sus piernas y suplicarle que se quedase–. Me parece que no tenemos nada más que decirnos. Ha estado bien aclarar las cosas, pero creo que es mejor que te vayas. Te espera un largo viaje de regreso.

Él asintió con la cabeza, mirándola con un brillo de angustia y remordimiento en los ojos.

–Adiós, Jane –se despidió, con tono apagado.

Un tono que no reconocía y que apretaba su corazón con dolorosas garras.

Y eso fue todo. No hubo besos ni abrazos. Podrían ser dos extraños. Ella podría ser una persona en cuya puerta hubiera parado para pedir indicaciones. Si unos segundos después no hubiese oído el poderoso rugido de un motor o visto la luz de unos faros cuando dos coches pasaron frente a la casa, incluso podría haber pensado que el encuentro había sido un sueño.

Después de eso, se quedó temblando durante horas. Aunque debería sentirse aliviada porque había sido sincera con ella misma y con él. Por un momento, se encontró deseando que Zayed fuera uno de esos hombres que decían cosas que no sentían. Que pudiese decirle que la amaba y hacer que lo creyera, aunque no fuese verdad. Pero, en el fondo, sabía que eso no habría sido suficiente. Su amor los habría ahogado, atrapándolo a él y dejándola a ella con el corazón roto.

Entró en la cocina y abrió el grifo para servirse un vaso de agua, preguntándose por qué Zayed no podía amarla cuando era evidente que le importaba. Le importaba tanto como para ir a buscarla.

¿Por qué no podía darle lo que toda mujer anhelaba...?

Y entonces, de repente, lo entendió y se preguntó cómo podía haber estado tan ciega.

Pensó en la madre de Zayed, que se había casado con su padre por amor en lugar de conformarse con un prometido de conveniencia. Había perdido la vida a causa de ese amor y su padre había muerto intentando vengarla. Durante años, Zayed se había visto perseguido por pesadillas de culpabilidad y remordimiento y, sin embargo, cuando las compartió con ella esas pesadillas habían desaparecido. Pero no así las consecuencias, que seguirían hostigándolo durante el resto de su vida. A menos que...

A menos que ella tuviera suficiente amor para los dos, en lugar de exigir egoístamente su parte.

Porque era muy sencillo.

Zayed no quería amarla porque asociaba el amor con la muerte.

Marcó su teléfono con manos temblorosas, pero ni siquiera daba señal de llamada y se preguntó por qué habría cambiado el número. Sin pensar en la diferencia horaria, llamó a Hassan al palacio de Kafalah y, por su tono, se dio cuenta de que lo había despertado.

–Siento molestarte, Hassan, pero necesito el nuevo número de Zayed ahora mismo.

–No puedo dárselo, Alteza. He recibido instrucciones muy claras...

–Hassan, por favor. Es muy importante.

Al otro lado hubo una pausa.

–Podría perder mi puesto por esto –dijo el ayudante, dejando escapar un suspiro–. ¿Tiene un bolígrafo?

Un minuto después, Jane marcó el nuevo número, pero Zayed no respondió. Dos gruesas lágrimas rodaban por sus mejillas mientras volvía a intentarlo una y otra vez. Sabía que la conexión era mala en esa zona de Gales, pero algo le decía que había otra explicación.

Zayed no quería hablar con ella. Había conseguido lo que quería.

Le había dicho que lo amaba y él se había marchado para siempre, de modo que tendría que lidiar con ello. Sin embargo, algo hizo que marcase el número por última vez y entonces oyó el timbre de un teléfono...

¡Al otro lado de la puerta!

Jane corrió a abrir y, con el corazón a punto de salirse de su pecho, encontró a Zayed al otro lado. Él miró su rostro cubierto de lágrimas y cerró la puerta con el pie antes de empezar a besarla. La besó como

Jane no recordaba que la hubiera besado nunca. Era un beso que contaba toda la historia de su relación, lleno de remordimiento, dolor e innegable pasión.

Y, mientras ella le devolvía el beso, pensó que debería sentirse agradecida. Porque aunque aquello fuese lo único que iba a conseguir, no podía quejarse.

Cuando por fin sintió que se mareaba por falta de oxígeno, se apartó un poco.

–Zayed, escúchame. Lo entiendo. Entiendo que solo querías un matrimonio de conveniencia y lo acepto porque te quiero demasiado como para vivir sin ti. Entiendo lo que sientes. No confías en el amor, ¿y por qué ibas a hacerlo? Pero da igual... –siguió, jadeando–. Solo es una palabra...

–No, Jane –la corrigió él, sacudiendo la cabeza con énfasis–. No es solo una palabra, es un sentimiento. Es lo que ha encendido mi sangre, llenándome de desesperación por mi incapacidad de aceptarlo. Yo, que no le tengo miedo a nada, temía lo que tú me hacías sentir. Lo que me haces sentir. No sé por qué ha pasado –Zayed tragó saliva, hablando con cierta dificultad–. Ahora entiendo por qué mi madre desafió a su país y renegó de un matrimonio acordado cuando conoció a mi padre. Porque si ella sentía una fracción de lo que yo siento por ti... no habría podido hacer nada más. Ninguno de nosotros conoce las consecuencias del amor, pero eso no significa que debamos darle la espalda.

–Zayed... –empezó a decir Jane, pero él la silenció con un gesto.

–Lo único que sé es que no puedo vivir sin ti. Quiero llevarte de vuelta a Kafalah y pasar el resto de mi vida contigo. Quiero que tengamos hijos y, sobre todo, quiero que sepas que te amo y que nunca dejaré de amarte –murmuró, apartando con un dedo las lágrimas que rodaban por sus mejillas–. Ahora y para siempre.

Y Jane, cuya vida se había sustentado en su habilidad con las palabras, por una vez no sabía qué decir. Cerrando los ojos, dio las gracias por esa oportunidad de ser feliz que nunca hubiera creído posible y juró amarlo con todo su corazón durante el resto de su vida. Y luego le echó los brazos al cuello y empezó a besarlo.

Epílogo

ZAYED miró a su hijo en la cuna. El niño había dejado de llorar cuando lo venció el sueño y, con un puñito sobre el ondulado cabello negro, parecía estar preparado para la batalla. Malek, de cuatro meses, tenía un cuerpo robusto más apropiado para un niño que le doblase en edad y el jeque se preguntó si su primer hijo sería un pensador o un guerrero. Sonrió a Jane. A los dos.

–¿Cansada? –le preguntó.

Ella negó con la cabeza, su pelo castaño dorado cayendo sobre los hombros de la túnica de color azul cielo.

–Me he echado una siesta esta tarde. Estoy totalmente despierta y llena de energía.

Zayed entrelazó sus dedos con los de Jane y salieron al balcón para respirar el aroma de las rosas del jardín. Era una clara noche del desierto y las estrellas parecían estar más cerca que nunca.

Miró el rostro de su esposa. La maternidad le sentaba bien. Había en ella una nueva serenidad que brillaba como la estrella más brillante en el cielo. Cada día la quería más. Había mostrado un gran estoicismo durante el largo parto y había llorado de alegría cuando pusieron al niño en sus brazos. Como él. Jane le había dicho que quería tomarse un año libre mientras Malek seguía siendo un bebé y luego pensaba seguir trabajando en el libro definitivo sobre Kafalah.

Zayed nunca había conocido una felicidad tan profunda. No sabía que el amor creciese como la más vigorosa planta en los jardines del palacio. No sabía que una mujer pudiera ser suficiente para él. Más que suficiente. Pero había tantas cosas que no sabía antes de conocer a Jane.

¿Quién hubiera imagino que su reinado sería más fácil teniéndola a su lado? ¿O que su seguridad y su intelecto serían una sensación en el mundo entero? Aunque Jane no había dejado que eso se le subiera a la cabeza y solo daba entrevistas para llamar la atención sobre alguna causa benéfica o para promocionar sus programas de ayuda para las mujeres de la región.

Jane sonrió mientras se ponía de puntillas para besarlo y él pasó la lengua por su labio inferior, notando que temblaba como respuesta.

–Te quiero, mi dulce flor del desierto.

–Y yo te quiero a ti, Zayed az-Zawba.

Zayed respiró su perfume, más embriagador que el aroma de las rosas.

–Cuando has dicho que estabas llena de energía –murmuró, apretando su cintura, de nuevo estrecha a pesar de haber dado a luz tan recientemente–, ¿tenías en mente algo en particular?

–Sí, claro –respondió ella, con una sonrisa de pura coquetería–. Ven conmigo, mi espléndido jeque, y yo te mostraré qué tenía en mente.

No sabía cómo demonios conseguía ser siempre tan provocativa. Tal vez era hora de demostrarle quién mandaba allí. A Jane le gustaba eso. Y a él también.

Dejando escapar un gruñido de deseo, Zayed tomó a su mujer en brazos y la llevó al dormitorio.